Андреа Бигель

100
Вяжем игрушки
лучших идей

Маленькие вязаные фигурки в два счета

Москва
Астрель
Кладезь

СОДЕРЖАНИЕ

100 маленьких фигурок крючком

Чаще всего наше сердце согревают симпатичные мелочи.

Талисман на экзамен, игрушка, которая утешает нас в период болезни или сердечных переживаний, брелок на сумку, рюкзак, ранец или просто декоративная штучка – в этой книге на каждый случай найдется что-нибудь подходящее.

Взволнованный первоклашка наверняка обрадуется маленькой игрушке, которая, раскачиваясь на ранце, будет сопровождать его в школе. Владелец собаки теперь может носить копию своего любимца на связке для ключей, а любители братьев наших меньших обязательно отметят для себя в этой книге очаровательных цыплят, овец или мышек.

Маленькие вязаные фигурки будут готовы в два счета. Следуя подробным рекомендациям, их легко будет связать.

Андреа Бигель

Степень сложности

Все представленные модели делятся на следующие степени сложности:

🧶	просто
🧶🧶	немного сложнее
🧶🧶🧶	требует умения

СОКРАЩЕНИЯ

набр. – набирать

ст. с 2/н. – столбик с двумя накидами

ст. б/н. – столбик без накида

п/ст. – полустолбик

п/ст. б/н. – полустолбик без накида

в.п. – воздушная петля

п. – петля

сп. – спица

р. – ряд

к.р. – круговой ряд

ст. с/н. – столбик с накидом

удв. – удваивать (провязать дважды)

повт. – повторять

вм. – вместе

ЖИВОТНЫЕ В ДИКОЙ ПРИРОДЕ

Дикие, но безобидные! Даже царь зверей становится кротким, а у толстой пчелы жало оказывается самым мягким в мире; дикие животные, связанные крючком, такие милые и мягкие!

Пчела и цветок

→ жужжит

Пчела

Голова и туловище

Набр. пряжей черного цвета 2 в.п.

1 к.р.: провязать 5 ст. б/н. во 2-ю в.п.
2 к.р.: удв. каждую п. = 10 п.
3 к.р.: связать 10 ст. б/н.
4 к.р.: провязать по 2 п. вм. = 5 ст. б/н., набить ватой и вязать далее ярко-желтой пряжей
5 к.р.: удв. каждую п. = 10 п.
6 к.р.: удв. каждую 2 п. = 15 п.
7+8 к.р.: связать 15 ст. б/н.
9 к.р.: провязать каждую 2 и 3 п. вм. = 10 п.
10 к.р.: провязать каждую 2 п. вм. = 5 п., набить ватой
11 к.р.: пряжей черного цвета удв. каждую п. = 10 п.
12 к.р.: пряжей ярко-желтого цвета повт. 2 раза: удв. 1 п., 4 ст. б/н. = 12 п.
13 к.р.: пряжей черного цвета связать 12 ст. б/н.
14 к.р.: пряжей ярко-желтого цвета связать 12 ст. б/н.
15 к.р.: пряжей черного цвета провязать каждую 2 и 3 п. вм. = 8 ст. б/н., набить ватой
16 к.р.: пряжей черного цвета провязать по 2 п. вм. = 4 ст. б/н.

Крыло (2 шт.)

Набр. пряжей белого цвета 3 в.п.

1+2 р.: вязать 2 ст. б/н.
3 р.: удв. каждую п. = 4 п.
4 р.: связать 4 ст. б/н.
5 р.: 1 ст. б/н., 2 п. вм., 1 ст. б/н. = 3 п.
6 р.: провязать 3 п. вм. = 1 п.

Лапки (3 шт.)

Набр. пряжей черного цвета 10 в.п. и связать 9 ст. б/н.

Усики (2 шт.)

Набр. пряжей черного цвета 12 в.п. и связать 11 ст. б/н.

Сборка

Из каждой ножки сделать две: протянуть ножки сквозь туловище, поделив их тем самым пополам. Усики и крылья пришить снаружи к голове и туловищу. Глаза вышить.

Цветок

Набр. пряжей красного цвета 2 в.п.

1 к.р.: провязать 6 ст. б/н. во 2-ю в.п.
2 к.р.: удв. каждую п. = 12 п.
3 к.р.: удв. каждую 2 п. = 18 п.
4 к.р.: удв. каждую 3 п. = 24 п.
5 к.р.: удв. каждую 4 п. = 30 п.

Лепестки (5 шт.)

1 к.р.: повторить 5 раз: в 3-ю п. провязать 6 ст. с/н., при этом вязать за переднюю стенку, 2 п. пропустить, 1 п/ст. б/н.
2 к.р.: начать с 3 п. предыдущего к.р., при этом вязать за заднюю стенку. Повторить 5 раз: 4 в.п., 1 п/ст. б/н. вязать за заднюю стенку петли, на которой в предыдущем ряду были провязаны 6 ст. с /н.
3 к.р.: в каждую дугу из в.п. провязать: 1 ст. б/н., 2 ст. с/н., 3 ст. с 2/н., 2 ст. с/н., 1 ст. б/н.

Листья

Пряжей зеленого цвета вязать на каждом п/ст. б/н. предыдущего ряда (= 2 к.р.) 4 в.п. и 4 ст. с 2/н., провязывая 5 п. сразу.

Тычинки (3 шт.)

Пряжей оранжевого цвета связать 3 в.п.

Сборка

Тычинки пришить к серединке цветка.

РАЗМЕР

Пчела 6,5 см
Цветок 5,5 см

МАТЕРИАЛ

◆ Пряжа черного, желтого, белого, красного, оранжевого и зеленого цветов, остатки

◆ Нитки мулине белого и черного цветов, остатки

◆ Крючок № 2,5

◆ Вата для наполнения игрушек

Панда

→ *любит зеленые листья*

РАЗМЕР
8,5 см

МАТЕРИАЛ

◆ Пряжа белого и черного цветов, по 50 г каждой

◆ Крючок № 2,5

◆ Вата для наполнения игрушек

Описание работы

Туловище

Набр. пряжей белого цвета 2 в.п.

1 к.р.: провязать 5 ст. б/н. во 2-ю в.п.
2 к.р.: удв. 1 п., 1 ст. б/н., удв. 1 п., 1 ст. б/н., удв. 1 п. = 8 п.
3 к.р.: 3 ст. б/н., удв. 2 п., 3 ст. б/н. = 10 п.
4 к.р.: 4 ст. б/н., удв. 2 п., 4 ст. б/н. = 12 п.
5 к.р.: удв. каждую п. = 24 п.
6-8 к.р.: вязать 24 ст. б/н
9 к.р.: провязать каждую 5 и 6 п. вм. = 20 п.
10 к.р.: провязать каждую 4 и 5 п. вм. = 16 п.
11 к.р.: удв. 2 п. , 4 ст. б/н., 2х2 п. вм., 4 ст. б/н., удв. 2 п. = 18 п.
далее вязать пряжей черного цвета
12 к.р.: удв. 2 п., 6 ст. б/н., удв. 2 п., 6 ст. б/н., удв. 2 п. = 24 п.

13 к.р.: удв. 1 п., 22 ст. б/н., удв. 1 п. = 26 п.
14 к.р.: связать 26 ст. б/н.
далее вязать пряжей белого цвета
15-18 к.р.: вязать 26 ст. б/н.
19 к.р.: 2 п. вм., 22 ст. б/н., 2 п. вм. = 24 п.
20 к.р.: провязать каждую 5 и 6 п. вм. = 20 п.
21 к.р.: провязать каждую 4 и 5 п. вм. = 16 п.
22 к.р.: провязать каждую 3 и 4 п. вм. = 12 п., набить ватой
23 к.р.: провязать по 2 п. вм. = 6 п.

Уши (2 шт.)

Набр. пряжей черного цвета 2 в.п.
1 к.р.: провязать 5 ст. б/н. во 2-ю в.п.
2 к.р.: удв. 1 п., 1 ст. б/н., удв. 1 п., 1 ст. б/н., удв. 1 п. = 8 п.

Передние лапы (2 шт.)

Набр. пряжей черного цвета 2 в.п.
1 к.р.: провязать 5 ст. б/н. во 2-ю в.п.
2 к.р.: удв.1 п., 1 ст. б/н., удв. 1 п., 1 ст. б/н., удв. 1 п. = 8 п.
3-7 к.р.: вязать 8 ст. б/н.

Задние лапы (2 шт.)

Набр. пряжей черного цвета 2 в.п.
1 к.р.: провязать 5 ст. б/н. во 2-ю в.п.
2 к.р.: удв. 1 п., 1 ст. б/н., удв. 1 п., 1 ст. б/н., удв. 1 п. = 8 п.
3–4 к.р.: вязать 8 ст. б/н.
5 к.р.: удв. 1 п., 6 ст. б/н., удв. 1 п. = 10 п.
6–7 к.р.: вязать 10 ст. б/н.

Сборка

Лапы набить ватой и пришить к туловищу. Затем набить уши и также пришить. Глаза и нос вышить.

Гусеница для цветного карандаша

→ декоративный держатель

РАЗМЕР

8,5 см

МАТЕРИАЛ

Пряжа красного, светло-зеленого, кофейного и салатового цветов, остатки

Пряжа светло-зеленого цвета с бахромой, остатки

Нитки мулине белого и черного цветов, остатки

Крючок № 2,5

Вата для наполнения игрушек

Голова и туловище

Набр. пряжей красного цвета 2 в.п.

1 к.р.: провязать 5 ст. б/н. во 2-ю в.п.

2 к.р.: удв. каждую п. = 10 п.

3 к.р.: удв. каждую 2 п. = 15 п.

4 к.р.: связать 15 ст. б/н.

5 к.р.: провязать каждую 2 и 3 п. вм. = 10 п., набить ватой

6 к.р.: провязать по 2 п. в. = 5 п.

далее вязать пряжей светло-зеленого цвета

7 к.р.: удв. каждую п. = 10 п.

8 к.р.: удв. каждую 2 п. = 15 п.

9 к.р.: связать бахромчатой пряжей с бахромой 15 ст. б/н.

далее вязать пряжей светло-зеленого цвета

10 к.р.: провязать каждую

2 и 3 п. вм. = 10 п., набить ватой

11 к.р.: провязать по 2 п. вм. = 5 п.

12 к.р.: удв. каждую п. = 10 п.

13 к.р.: удв. каждую 2 п. = 15 п.

14 к.р.: связать пряжей с бахромой 15 ст. б/н.

далее вязать пряжей светло-зеленого цвета

15 к.р.: провязать каждую 2 и 3 п. вм. = 10 п., набить ватой

16 к.р.: провязать по 2 п. вм. = 5 п.

17 к.р.: удв. каждую п. = 10 п.

18 к.р.: связать 10 ст. б/н.

19 к.р.: связать пряжей с бахромой 10 ст. б/н.

далее вязать пряжей светло-зеленого цвета

20–21 к.р.: вязать 10 ст. б/н.

22 к.р.: 2 ст. б/н., 2 п. вм.,

3 ст. б/н., 2 п. вм., 1 ст. б/н. = 8 п.

23 к.р.: 1 ст. б/н., 2 п. вм., 2 ст. б/н., 2 п. вм., 1 ст. б/н. = 6 п.

24 к.р.: связать 6 ст. б/н.

Усики (2 шт.)

Пряжей кофейного цвета связать 3 в.п.

Ножки (2 шт.)

Пряжей салатового цвета связать 3 в.п.

Сборка

Глаза и рот вышить. Усики и ножки пришить.

Совет: если в конце гусеницу набить ватой и зашить, из нее получится прекрасная брошь, останется только прикрепить ее булавкой!

Зебра

→ черно-белые полоски

РАЗМЕР
8 см

МАТЕРИАЛ
◆ Пряжа белого
  и черного
  цветов, по
  50 г каждой
◆ 2 глаза для
  игрушек,
  Ø 6 мм
◆ Крючок № 2,5
◆ Вата для
  наполнения
  игрушек

Описание работы

Голова и туловище
Набр. пряжей черного цвета
2 в.п. Далее вязать попеременно по к.р. пряжей черного
и белого цветов:

1 к.р.: провязать пряжей черного цвета 5 ст. б/н. во 2-ю
в.п.

2 к.р.: удв. каждую п. = 10 п.

3 к.р.: удв. каждую 2 п. =
15 п.

4 к.р.: удв. каждую 3 п. =
20 п.

5-11 к.р.: вязать 20 ст. б/н.

12 к.р.: 2х 2 п. вм., 12 ст.
б/н., 2х 2п. вм. = 16 п.

13 к.р.: 2х 2п. вм., 4 ст. б/н.,
набр. новые 6 в.п., связать
5 ст. б/н. назад, 4 ст. б/н.,
2х2 п. вм. = 17 п.

14 к.р.: 2 п. вм., 9 ст. б/н.,
связать 2 ст. б/н. на верхушку, 9 ст. б/н., 2 п. вм. =
22 п.

15 к.р.: 2 п. вм., 8 ст. б/н.,
2 п. вм., 8 ст. б/н., 2 п. вм. =
19 п.

16 к.р.: 2 п. вм., 7 ст. б/н.,
2 п. вм., 6 ст. б/н., 2 п. вм. =
16 п.

17 к.р.: 2х 2 п. вм., 8 ст. б/н.,
2х 2 п. вм. = 12 п.

18 к.р.: 2 п. вм., 8 ст. б/н.,
2 п. вм. = 10 п.

19 к.р.: удв. 1 п., 3 ст. б/н.,
2 п. вм., 3 ст. б/н., удв. 1 п. =
11 п.

20 к.р.: удв. 1 п., 3 ст. б/н.,

2х 2 п. вм., 2 ст. б/н., удв. 1 п.
= 11 п.

21 к.р.: 4 ст. б/н., 2х 2 п. вм.,
3 ст. б/н. = 9 п.

22 к.р.: 2 п. вм., 5 ст. б/н., 2 п.
вм. = 7 п.

23 к.р.: 2 п. вм., 3 ст. б/н.,
2 п. вм. = 5 п., набить ватой

Уши (2 шт.)
Набр. пряжей белого цвета
4 в.п.

1-2 к.р.: вязать 3 ст. б/н.

3 к.р.: 1 ст. б/н., 2 п. вм. =
2 п.

4 к.р.: 2 п. вм. = 1 п.

Передние ноги
(2 шт.)
Набр. пряжей черного цвета
2 в.п.

1 к.р.: провязать 5 ст. б/н. во
2-ю в.п.

2-3 к.р.: вязать 5 ст. б/н.

4-9 к.р.: вязать попеременно
по к.р. пряжей черного и
белого цветов 5 ст. б/н.

Задние ноги (2 шт.)
Набр. пряжей черного цвета
2 в.п.

1 к.р.: провязать 5 ст. б/н. во
2-ю в.п.

2-3 к.р.: вязать 5 ст. б/н.

4-6 к.р.: вязать попеременно
по к.р. пряжей белого и черного цветов

7 к.р.: пряжей черного цвета
удв. 1 и 2 п., 3 ст. б/н. = 7 п.

8-9 к.р.: вязать попеременно

по к.р. пряжей белого и черного цветов 7 ст. б/н.

Хвост
Набр. 14 в.п., при этом чередуя пряжу белого и черного
цветов по п.

Сборка
Ноги набить ватой и пришить
к туловищу. Пришить уши и
приклеить глаза. Привязать
нити к кончику хвоста, а
хвост пришить к туловищу.
Прикрепить гриву из черной
пряжи с прямым пробором.

Слон

→ серый великан для напоминаний

РАЗМЕР
10 см

МАТЕРИАЛ

◈ Пряжа светло-серого цвета, 50 г

◈ Пряжа белого цвета, остатки

◈ 2 глаза для игрушек, Ø 6 мм

◈ Крючок № 2,5

◈ Вата для наполнения игрушек

◈ Металлический держатель для записок

Описание работы

Туловище и голова
Набр. пряжей светло-серого цвета 2 в.п.

1 к.р.: провязать 5 ст. б/н. во 2-ю в.п.

2 к.р.: удв. каждую п. = 10 п.

3 к.р.: удв. каждую 2 п. = 15 п.

4 к.р.: удв. каждую 3 п. = 20 п.

5 к.р.: удв. каждую 4 п. = 25 п.

6 к.р.: удв. каждую 5 п. = 30 п.

7-12 к.р.: вязать 30 ст. б/н.

13 к.р.: 2 п. вм., 1 ст. б/н., 2 п. вм., 10 ст. б/н., набр. 4 новые в.п., связать 3 ст. б/н. назад, 10 ст. б/н., 2 п. вм., 1 ст. б/н., 2 п. вм. = 33 п.

14 к.р.: 2х 2 п. вм., 12 ст. б/н., 2 ст. б/н. на конце новых в.п., 12 ст. б/н., 2х 2 п. вм. = 29 п.

15 к.р.: 2х 2 п. вм., 21 ст. б/н., 2х 2 п. вм. = 25 п.

16 к.р.: 2х 2 п. вм., 17 ст. б/н., 2х 2 п. вм. = 21 п.

17 к.р.: 2 п. вм., 17 ст. б/н., 2 п. вм. = 19 п.

18 к.р.: 7 ст. б/н., 2 п. вм., 1 ст. б/н., 2. п. вм., 7 ст. б/н. = 17 п.

19 к.р.: 6 ст. б/н., 2 п. вм., 1 ст. б/н., 2 п. вм., 6 ст. б/н. = 15 п., набить ватой

20 к.р.: 5 ст. б/н., 2 п. вм., 1 ст. б/н., 2 п. вм., 5 ст. б/н. = 13 п.

21 к.р.: 4 ст. б/н., 2 п. вм., 1 ст. б/н., 2 п. вм., 4 ст. б/н. = 11 п.

22 к.р.: 5 ст. б/н., 2 п. вм., 4 ст. б/н. = 10 п.

23-25 к.р.: удв. 1 п., 2 ст. б/н., 2х 2 п. вм., 2 ст. б/н., удв. 1 п. = 10 п.

26 к.р.: 2 п. вм, 1 ст. б/н., 2х 2 п. вм., 1 ст. б/н., 2 п. вм. = 6 п., набить ватой

Ноги (4 шт.)
Набр. пряжей белого цвета 2 в.п.

1 к.р.: провязать 5 ст. б/н. во 2-ю в.п.

2 к.р.: удв. каждую п. = 10 п. далее вязать пряжей светло-серого цвета

3 к.р.: связать 10 ст. б/н., при этом вязать только за заднюю стенку

4-6 к.р.: вязать 10 ст. б/н.

Уши (2 шт.)
Набр. пряжей светло-серого цвета 5 в.п.

1 к.р.: связать 4 ст. б/н.

2 к.р.: удв. 1 п., 2 ст. б/н., удв. 1 п. = 6 п.

3 к.р.: удв. 1 п., 2 ст. б/н., повернуть работу = 4 п.

4 к.р.: провязать по 2 п. вм. = 2 п.

другое ухо связать симметрично, при этом:

3 к.р.: 2 ст. б/н., удв. 1 п. = 4 п.

4 к.р.: провязать по 2 п. вм. = 2 п.

Бивни (2 шт.)
Набр. пряжей белого цвета 2 в.п.

1 к.р.: связать 1 ст. б/н.

2 к.р.: удв. 1 п. = 2 п.

3 к.р.: 1 ст. б/н., удв. 1 п. = 3 п.

4 к.р.: 2 ст. б/н., удв. 1 п. = 4 п.

5 к.р.: удв. 1 п., 2 п. вм., удв. 1 п. = 5 п.

6 к.р.: провязать 5 п.

Хвост
Набр. пряжей светло-серого цвета 7 в.п. и связать 6 ст. б/н., концы нити оставить свободными.

Сборка
Ноги набить ватой, пришить к туловищу. Уши пришить, а у бивней сшить боковые стороны вместе, слегка набить ватой и тоже пришить. Приклеить глаза и пришить хвост. Прикрепить сверху держатель, поместив его конец внутрь туловища слона.

Змея

→ вполне безобидная

Описание работы

Туловище

Набр. пряжей песочного цвета 2 в.п.

1 к.р.: провязать 4 ст. б/н. во 2. в.п.

2-3 к.р.: вязать 4 ст. б/н.

4 к.р.: 1 ст. б/н., удв. 1 п., 1 ст. б/н., удв. 1 п.= 6 п.

5-6 к.р.: вязать 6 ст. б/н.

7 к.р.: 1 ст. б/н., удв. 1 п., 2 ст. б/н., удв. 1 п., 1 ст. б/н. = 8 п.

8-38 к.р.: вязать 8 ст. б/н.

39 к.р.: 1 ст.б/н., удв. 2 п., 2 ст. б/н., удв. 2 п., 1 ст. б/н. = 12 п.

40 к.р.: 2 ст. б/н., удв. 2 п., 4 ст. б/н., удв. 2 п., 2 ст. б/н. = 16 п.

41-42 к.р.: вязать 16 ст. б/н.

43 к.р.: 3 ст. б/н., 2 п. вм., 6 ст. б/н., 2 п. вм., 3 ст. б/н. = 14 п.

44 к.р.: 3 ст. б/н., 2 п. вм., 5 ст. б/н., 2 п. вм., 2 ст. б/н. = 12 п.

45 к.р.: 2 ст. б/н., 2 п. вм., 4 ст. б/н., 2 п. вм., 2 ст. б/н., 3 п/ст. б/н., 1 в.п. = 10 п.

далее вязать р.:

1 к.р.: связать над следующими 5 п. 5 ст. б/н. = 5 п.

2 к.р.: связать 5 ст. б/н.

3 к.р.: 2 п. вм., 1 ст. б/н., 2 п. вм. = 3 п.

4 к.р.: связать 3 ст. б/н.

повт. с другой стороны р. 1–4, набить ватой.

Язык

Набр. пряжей кофейного цвета 2 в.п.

1 к.р.: провязать 1 ст. б/н. во 2-ю в.п.

2-4 к.р.: вязать 1 ст. б/н.

5 к.р.: 1 ст. б/н., 3 в.п., в которые провязать 2 ст. б/н., связать 3 в.п.

Сборка

Язык пришить к мордочке. На змее вышить узор пряжей оливкового, кофейного и золотого цветов. Наклеить глаза.

РАЗМЕР
19 см

МАТЕРИАЛ
◆ Пряжа песочного цвета, 50 г
◆ Пряжа оливкового и кофейного цветов, остатки
◆ Металлизированная пряжа золотого цвета, остатки
◆ 22 половинки деревянной бусинки черного цвета, Ø 4 мм
◆ Крючок № 2,5
◆ Вата для наполнения игрушек

Бабочка

→ отлично смотрится как заплатка,
брошка или заколочка

РАЗМЕР
9 см

МАТЕРИАЛ
Пряжа цвета
фуксии, ярко-
розового,
нежно-розо-
вого, белого и
красного цве-
тов, остатки

Крючок № 2,5

Английская
булавка

Описание работы

Голова и туловище
Набр. пряжей нежно-
розового цвета 2 в.п.
1 к.р.: провязать 4 ст. б/н. во
2-ю п.
2 к.р.: удв. 1 п., 1 ст. б/н.,
удв. 1 п., 1 ст. б/н. = 6 п.
3-11 к.р.: вязать 6 ст. б/н.,
набить ватой
12 к.р.: провязать каждую 2
и 3 п. вм. = 4 п.

Крылья (2 шт.)
Набр. пряжей ярко-
розового цвета 9 в.п.
1 к.р.: связать 8 ст. б/н.
2 к.р.: удв. 1 п., 6 ст. б/н.,
удв. 1 п. = 10 п.
3 к.р.: связать 10 ст. б/н.
4 к.р.: удв. 1 п., 8 ст. б/н.,
удв. 1 п. = 12 п.

5 к.р.: связать 12 ст. б/н.
6 к.р.: удв. 1 п., связать 10 ст.
б/н., удв. 1 п. = 14 п.
7 к.р.: связать 14 ст. б/н.
8 к.р.: удв. 1 п., связать 6 ст.
б/н., повернуть работу = 8 п.
9 к.р.: 2 п. вм., 4 ст. б/н., 2 п.
вм. = 6 п.
10 к.р.: 2 п. вм., 2 ст. б/н.,
2 п. вм. = 4 п.
11 к.р.: провязать по 2 п. вм.
= 2 п.
второе крылышко связать
симметрично, при этом:
8 к.р.: 6 ст. б/н., удв. 1 п. =
8 п.
9 к.р.: 2 п. вм., 4 ст. б/н., 2 п.
вм. = 6 п.
10 к.р.: 2 п. вм., 2 ст. б/н.,
2 п. вм. = 4 п.
11 к.р.: провязать по 2 п. вм.
= 2 п.

Усики (2 шт.)
Пряжей цвета фуксии связать
3 в.п.

Рисунок на крылыш-
ках (повторить по 2 раза
из белой и красной
пряжи)
Набр. 2 в.п. и провязать во 2-ю
п. 6 ст. б/н.

Сборка
Пришить рисунок на кры-
лышки, а крылья к туловищу.
Усики пришить к голове. С
обратной стороны фигурки
прикрепить булавку или
заколку.

Обезьяна

→ перепрыгивает с лианы

РАЗМЕР
13 см

МАТЕРИАЛ
◆ Пряжа кашта-
нового цвета,
50 г
◆ Пряжа светло-
коричневого
цвета, остатки
◆ 2 половинки
деревянной
бусинки черно-
го цвета,
Ø 4 мм
◆ Крючок № 2,5
◆ Вата для
наполнения
игрушек
◆ Проволока

Описание работы

Голова и туловище

Набр. пряжей каштанового
цвета 2 в.п.

1 к.р.: провязать 6 ст. б/н. во
2-ю в.п.
2 к.р.: удв. каждую п. = 12 п.
3 к.р.: удв. каждую 2 п. =
18 п.
4-6 к.р.: вязать 18 ст. б/н.
7 к.р.: 7 ст. б/н., удв. 4 п.,
7 ст. б/н. = 22 п.
8 к.р.: связать 22 ст. б/н.
9 к.р.: 7 ст. б/н., провязать
2 п. вм., 1 ст. б/н., 2 п. вм., 1
ст. б/н., 2 п. вм., 7 ст. б/н. =
19 п.
10 к.р.: 9 ст. б/н., провязать
2 п. вм., 8 ст. б/н. = 18 п.
11 к.р.: провязать каждую 2 и
3 п. вм. = 12 п., набить ватой
12 к.р.: провязать по 2 п. вм.
= 6 п.
13 к.р.: удв. каждую п. =
12 п.
14 к.р.: удв. каждую 3 п. =
16 п.
15 к.р.: удв. каждую 4 п. =
20 п.
16-21 к.р.: вязать 20 ст. б/н.
22 к.р.: провязать каждую
3 и 4 п. вм. = 15 п.
23 к.р.: провязать каждую
2 и 3 п. вм. = 10 п., набить
ватой
24 к.р.: провязать по 2 п. вм.
= 5 п.

Руки (2 шт.)

Набр. пряжей каштанового
цвета 2 в.п.

1 к.р.: провязать 6 ст. б/н. во
2-ю в.п.
2 к.р.: удв. каждую п. = 12 п.
3 к.р.: провязать по 2 п. вм. =
6 п.
4-16 к.р.: вязать 6 ст. б/н.

Ноги (2 шт.)

Набр. пряжей каштанового
цвета 2 в.п.

1 к.р.: провязать 8 ст. б/н. во
2-ю в.п.
2 к.р.: удв. каждую п. = 16 п.
3 к.р.: связать 16 ст. б/н.
4 к.р.: провязать по 2 п. вм. =
8 п.
5-13 к.р.: вязать 8 ст. б/н.

Мордочка

Набр. пряжей светло-
коричневого цвета 4 в.п

1 р.: связать 3 ст. б/н.
2 р.: удв. 1 п., 1 ст. б/н., удв.
1 п. = 5 п.
3 р.: удв. 1 п., 3 ст. б/н., удв.
1 п. = 7 п.
4 р.: связать 7 ст. б/н.
5 р.: 3 ст. б/н., 2 п. вм., 2 ст.
б/н. = 6 п.
6 р.: 2 п. вм., 2 ст. б/н., 2 п.
вм. = 4 п.

Уши (2 шт.)

Набр. пряжей каштанового
цвета 2 в.п.

1 р.: провязать 6 ст. б/н. во
2-ю в.п.
2 р.: удв. 1 п., 4 ст. б/н., удв.
1 п. = 8 п.

Внутренняя часть

уха (2 шт.)
Набр. пряжей светло-
коричневого цвета 2 в.п. и
провязать 4 ст. б/н. во 2-ю
в.п.

Сборка

Ноги и руки набить ватой и
пришить к туловищу. Прикрепить к уху его внутреннюю
часть и пришить уши к
голове. Мордочку также пришить к голове. Рот вышить
нитками каштанового цвета.
Наклеить бусинки в качестве
глаз.

Совет: чтобы обезьянка
могла сгибать руки и ноги,
протяните сквозь них про-
волоку.

Улитка и черепаха

→ верные товарищи

РАЗМЕР

Улитка 5,5 см

Черепаха 7 см

МАТЕРИАЛ

Крючок № 2,5

Вата для наполнения игрушек

УЛИТКА

Пряжа кремового и оранжевого цветов, остатки

Нитки мулине белого и черного цветов, остатки

ЧЕРЕПАХА

Пряжа бежевого и оливкового цветов, остатки

Нитки мулине коричневого цвета, остатки

Улитка

Голова

Набр. пряжей кремового цвета 2 в.п.

1 к.р.: провязать 5 ст. б/н. во 2-ю в.п.

2 к.р.: удв. 1 п., 1 ст. б/н., удв. 1 п., 1 ст. б/н., удв. 1 п. = 8 п.

3 к.р.: связать 8 ст. б/н.

4 к.р.: 2 п. вм., 1 ст. б/н., 2 п. вм., 1 ст. б/н., 2 п. вм. = 5 п., набить ватой

Туловище

Далее вязать пряжей кремового цвета, при этом:

1 п/ст. б/н., работу сложить и провязывать за верхнюю и нижнюю п. одновременно, 2 ст. б/н., далее вязать к.р.

1 к.р.: связать по 1 п/ст. б/н. за переднюю и по 1 п/ст. б/н. за заднюю стенку = 4 п.

2 к.р.: удв. каждую п. = 8 п.

3-10 к.р.: вязать 8 ст. б/н.

11 к.р.: провязать по 2 п. вм. = 4 п.

Усики (2 шт.)

Набр. пряжей кремового цвета 2 в.п. и провязать 1 ст. б/н. во 2-ю в.п.

Раковина

Набр. пряжей оранжевого цвета 2 в.п.

1 к.р.: провязать 5 ст. б/н. во 2-ю в.п.

2 к.р.: удв. каждую п. = 10 п.

3 к.р.: вязать только за переднюю стенку, при этом удв. каждую п. = 20 п.

4 к.р.: провязать 3 и 4 п. вм. = 15 п.

5 к.р.: связать 15 ст. б/н.

6 к.р.: вязать только за переднюю стенку, при этом удв. каждую п. = 30 п.

7 к.р.: провязать каждую 5 и 6 п. вм. = 25 п.

8 к.р.: связать 25 ст. б/н.

9 к.р.: вязать только за переднюю стенку, при этом удв. каждую п. = 50 п.

10 к.р.: провязать каждую 4 и 5 п. вм. = 40 п.

11 к.р.: провязать каждую 3 и 4 п. вм. = 30 п.

12 к.р.: провязать каждую 2 и 3 п. вм. = 20 п.

13 к.р.: провязать каждую 3 и 4 п. вм. = 15 п.

14 к.р.: провязать каждую 2 и 3 п. вм. = 10 п., набить ватой

15 к.р.: провязать по 2 п. вм. = 5 п.

Сборка

Шов должен находиться снизу. Голову натянуть на туловище и пришить. Раковину пришить сверху к туловищу. Усики пришить к голове, а глаза вышить. В р. 3, 6 и 9 раковины сделать несколько стежков пряжей кремового цвета.

Черепаха

Туловище

Набр. пряжей бежевого цвета 2 в.п.

1 к.р.: провязать 6 ст. б/н. во 2-ю в.п.

2 к.р.: удвоить каждую п. = 9 п.

3-6 к.р.: вязать 9 ст. б/н.

7 к.р.: 2 ст. б/н., удв. следующие 5 п., 2 ст. б/н. = 14 п.

8 к.р.: 2 ст. б/н., повторить 5 раз: удв. 1 п., 1 ст. б/н.; затем 2 ст. б/н. = 19 п.

9-10 к.р.: вязать 19 ст. б/н.

11 к.р.: 4 ст. б/н., повторить 5 раз: удв. 1 п., 2 ст. б/н. = 24 п.

12-13 к.р.: вязать 24 ст. б/н.

14 к.р.: 5 ст. б/н., 2 п. вм., повторить 3 раза: 3 ст. б/н., 2 п. вм.; затем 2 ст. б/н. = 20 п.

15 к.р.: 4 ст. б/н., повторить 4 раза: 2 п. вм., 2 ст. б/н. = 16 п.

16 к.р.: 3 ст. б/н., 2 п. вм., повторить 3 раза: 1 ст. б/н., 2 п. вм.; затем 2 ст. б/н. = 12 п., набить ватой

17 к.р.: 2 ст. б/н., 4х 2 п. вм., 2 ст. б/н. = 8 п.

18 к.р.: 1 ст. б/н., 2 п. вм., 2 ст. б/н., 2 п. вм. = 6 п.

19-20 к.р.: вязать 6 ст. б/н., набить ватой

21 к.р.: провязать по 2 п. вм. = 3 п.

Панцирь

Набр. пряжей оливкового цвета 2 в.п.

1 к.р.: провязать 6 ст. б/н. во 2-ю в.п.

2 к.р.: удв. каждую п. = 12 п.

3 к.р.: удв. каждую 2 п. = 18 п.

4 к.р.: удв. каждую 3 п. = 24 п.

5 к.р.: удв. каждую 4 п. = 30 п.

6 к.р.: удв. каждую 5 п. = 36 п.

7 к.р.: удв. каждую 6 п. = 42 п.

8 к.р.: удв. каждую 7 п. = 48 п.

Лапы (4 шт.)

Набр. пряжей бежевого цвета 2 в.п.

1 к.р.: провязать 4 ст. б/н. во 2-ю в.п.

2 к.р.: удв. каждую 2 п. = 6 п.

3-4 к.р.: вязать 6 ст. б/н.

Сборка

Лапы набить ватой и пришить к туловищу. Пришить панцирь, вышить рот и глаза.

Паук

→ мягкий и забавный

РАЗМЕР
9 см

МАТЕРИАЛ

◆ Пряжа черного цвета, остатки

◆ Пряжа с бахромой черного цвета, остатки

◆ Нитки мулине красного цвета, остатки

◆ Крючок № 2,5

◆ Вата для наполнения игрушек

Описание работы

Голова и туловище
Набр. гладкой пряжей 2 в.п.
1 к.р.: провязать 5 ст. б/н. во 2. в.п.
2 к.р.: удв. 1 п., 1 ст. б/н., удв. 1 п., 1 ст. б/н., удв. 1 п.= 8 п.
3 к.р.: 2 ст. б/н., удв. 4 п., 2 ст. б/н. = 12 п.
далее вязать пряжей с бахромой
4 к.р.: 3 ст. б/н., удв. 6 п., 3 ст. б/н. = 18 п.
5 к.р.: 3 ст. б/н., удв. 1 п., 10 ст. б/н., удв. 1 п., 3 ст. б/н. = 20 п.

6-7 к.р.: вязать 20 ст. б/н.
8 к.р.: провязать каждую 4 и 5 п. вм. = 16 п.
9 к.р.: провязать каждую 3 и 4 п. вм. = 12 п.
10 к.р.: провязать каждую 2 и 3 п. вм. = 8 п., набить ватой
11 к.р.: провязать по 2 п. вм. = 4 п.

Лапки (8 шт.)
Набр. гладкой пряжей 10 в.п., затем провязать во 2 и 3 в.п. по 1 ст. б/н., в 4-ю в.п. 3 ст. б/н., далее 6 ст. б/н. = 11 п.

Сборка
Лапки пришить к туловищу, а глаза вышить красными нитками.

Крот

→ близорукий товарищ

РАЗМЕР
8,5 см

МАТЕРИАЛ
Пряжа черного цвета, 50 г

Пряжа нежно-розового цвета, остатки

2 половинки деревянной бусинки черного цвета, Ø 4 мм

Помпон розового цвета, Ø 6 мм

Крючок № 2,5

Вата для наполнения игрушек

Описание работы

Голова и туловище
Набр. пряжей черного цвета 2 в.п.
1 к.р.: провязать 5 ст. б/н. во 2-ю в.п.
2 к.р.: удв. каждую п. = 10 п.
3-5 к.р.: вязать 10 ст. б/н.
6 к.р.: 4 ст. б/н., удв. 2 п., 4 ст. б/н. = 12 п.
7 к.р.: 5 ст. б/н., удв. 2 п., 5 ст. б/н. = 14 п.
8-9 к.р.: вязать 14 ст. б/н.
10-12 к.р.: удв. 1 п., 4 ст. б/н., 2x 2 п. вм., 4 ст. б/н., удв. 1 п. = 14 п.
13 к.р.: удв. 1 п., 12 ст. б/н., удв. 1 п. = 16 п.
14 к.р.: удв. 1 п., 14 ст. б/н., удв. 1 п. = 18 п.
15 к.р.: удв. 1 п., 16 ст. б/н., удв. 1 п. = 20 п.

16-21 к.р.: вязать 20 ст. б/н.
22 к.р.: провязать каждую 3 и 4 п. вм. = 16 п.
23 к.р.: провязать каждую 2 и 3 п. вм. = 12 п., набить ватой
24 к.р.: провязать по 2 п. вм. = 6 п.

Задние лапы (2 шт.)
начинать со ступни, для этого набр. пряжей нежно-розового цвета 4 в.п.
1 к.р.: связать 3 ст. б/н., затем по нижнему краю в.п. связать еще 3 ст. б/н. = 6 п.
2 к.р.: удв. 1 п., 1 ст. б/н., удв. 2 п., 1 ст. б/н., удв. 1 п. = 10 п.
3 к.р.: связать 10 ст. б/н.
4 к.р.: 2 п. вм., 1 ст. б/н., 2x 2 п. вм., 1 ст. б/н., 2 п. вм. = 6 п.

Передние лапы (2 шт.)
Набр. пряжей нежно-розового цвета 2 в.п.
1 к.р.: провязать 5 ст. б/н. во 2-ю в.п.
2 к.р.: удв. 1 п., 1 ст. б/н., удв. 1п., 1 ст. б/н., удв. 1п. =8 п.
3 к.р.: связать 8 ст. б/н.
4 к.р.: провязать по 2 п. вм. = 4 п.

Хвост
Набр. пряжей черного цвета 2 в.п.
1 к.р.: провязать 4 ст. б/н. во 2-ю в.п.
2-3 к.р.: вязать 4 ст. б/н.

Сборка
Пришить ноги и хвост к туловищу. Бусинки приклеить в качестве глаз.

Летучая мышь

→ **просто подвесить**

Описание работы

Туловище

Набр. пряжей черного цвета 2 в.п.
1 к.р.: провязать 5 ст. б/н. во 2-ю в.п.
2 к.р.: удв. каждую п. = 10 п.
3 к.р.: связать 10 ст. б/н., набить ватой
4 к.р.: провязать по 2 п. вм. = 5 п.
5 к.р.: удв. каждую п. = 10 п.
6 к.р.: удв. каждую 2 п. = 15 п.
7-9 к.р.: вязать 15 ст. б/н.
10 к.р.: провязать каждую 2 и 3 п. вм. = 10 п., набить ватой
11 к.р.: провязать по 2 п. вм. = 5 п.

Усики (2 шт.)

Пряжей черного цвета связать 4 в.п.

Лапки (2 шт.)

Набр. пряжей черного цвета 6 в.п., затем провязать 1 ст. б/н. во 2-ю в.п., 2 ст. б/н., 3 ст. б/н. в 5-ю в.п., 1 ст. б/н. = 7 п.

Крылья (2 шт.)

Набр. пряжей черного цвета 5 в.п.
1 р.: связать 4 ст. б/н.
2 р.: удв. 1 п., 2 ст. б/н., удв. 1 п. = 6 п.
3 р.: удв. 1 п., 4 ст. б/н. = 6 п.
4 р.: удв. 1 п., 4 ст. б/н., удв 1 п. = 8 п.
5 р.: 2 п. вм., 5 ст. б/н. = 6 п.
6 р.: удв. 1 п., 3 ст. б/н., 2 п. вм. = 6 п.
7 р.: 1 ст. б/н., повт. 5 раз: 2 в.п., 1 ст. б/н.

Сборка

Крылья пришить зигзагообразной стороной наружу. Усики сложить вдвое и пришить концами к голове. Лапки пришить изгибом вперед, а глаза приклеить.

РАЗМЕР
5 см

МАТЕРИАЛ
◆ Пряжа черного цвета, остатки
◆ 2 глаза для игрушек, Ø 6 мм
◆ Крючок № 2,5
◆ Вата для наполнения игрушек

Лягушка

→ Попрыгушка на холодильник

РАЗМЕР

9 см

МАТЕРИАЛ

Пряжа светло-зеленого и оранжевого цветов, остатки

Нитки мулине белого и черного цветов, остатки

Крючок № 2,5

Вата для наполнения игрушек

Магнит

Описание работы

Голова и туловище

Набр. пряжей светло-зеленого цвета 2 в.п.

1 к.р.: провязать 6 ст. б/н. во 2. в.п.

2 к.р.: 1 ст. б/н., удв. 2 п., 1 ст. б/н., удв. 2 п. = 10 п.

3 к.р.: связать 10 ст. б/н.

4 к.р.: 2 ст. б/н., удв. 2 п., 3 ст. б/н., удв. 2 п., 1 ст. б/н. = 14 п.

5 к.р.: связать 14 ст. б/н.

6 к.р.: 3 ст. б/н., удв. 2 п., 5 ст. б/н., удв. 2 п., 2 ст. б/н. = 18 п.

7-9 к.р.: вязать 18 п.

10 к.р.: провязать каждую 2-ю и 3-ю п. вм. = 12 п.

11 к.р.: провязать каждую 3-ю и 4-ю п. вм. = 9 п., набить ватой

12 к.р.: провязать каждую 2-ю и 3-ю п. вм. = 6 п.

Передние лапки (2 шт.)

Набр. пряжей светло-зеленого цвета 6 в.п. и замкнуть в кольцо

1-4 к.р.: вязать 6 ст. б/н.

5-7 к.р.: 2 п. вм., удв. 2 п., 2 п. вм. = 6 п.

далее вязать пряжей оранжевого цвета

8 к.р.: сложить лапку вдвое, нить при этом остается в стороне. Одновременно вязать за переднюю и заднюю стенки, связать 4 в.п., 1 ст. б/н., 5 в.п., 1 ст. б/н., 4 в.п., 1 ст. б/н.

Задние лапки (2 шт.)

Набр. пряжей светло-зеленого цвета 6 в.п., замкнуть в кольцо.

1 к.р.: связать 6 ст. б/н.

2 к.р.: удв. 1 п., 4 ст. б/н., удв. 1 п. = 8 п.

3 к.р.: удв. 1 п., 2 ст. б/н., 2 п. вм., 2 ст. б/н., удв. 1 п. = 9 п.

4-5 к.р.: удв. 1 п., 2 ст. б/н., 3 п. вм., 2 ст. б/н., удв. 1 п. = 9 п.

6 к.р.: 3 ст. б/н., 3 п. вм., 3 ст. б/н. = 7 п.

далее вязать пряжей оранжевого цвета

7 к.р.: сложить лапку вдвое, нить при этом остается в стороне. Одновременно вязать за заднюю и переднюю стенки, связать 4 в.п., 1 ст. б/н., 5 в.п., 1 ст. б/н., 4 в.п., 1 ст. б/н.

Глаза (2 шт.)

Набр. нитками белого цвета 2 в.п.

1 к.р.: провязать 3 ст. б/н. во 2-ю в.п., провязать 6 ст. б/н. пряжей светло-зеленого цвета в ту же п. = 9 п.

Сборка

Лапки, не набивая ватой, пришить к туловищу. Глаза пришить к голове, зрачки вышить черными нитками. Приклеить магнит к животу лягушки.

Стрекоза

→ жужжит в воздухе

РАЗМЕР

7,5 см

МАТЕРИАЛ

◆ Пряжа дынного, оранжевого и белого цветов, остатки

◆ Нитки мулине белого и черного цветов, остатки

◆ Крючок № 2,5

◆ Вата для наполнения игрушек

◆ Простая заколка для волос

Описание работы

Голова и туловище

Набр. пряжей дынного цвета 2 в.п.

1 к.р.: провязать 5 ст. б/н. во 2. в.п.

2 к.р.: удв. каждую п. = 10 п.

3 к.р.: связать 10 ст. б/н.

4 к.р.: провязать по 2 п. вм. = 5 п., набить ватой

5 к.р.: связать 5 ст. б/н.

6 к.р.: удв. каждую п. = 10 п.

7-10 к.р.: вязать 10 ст. б/н.

11 к.р.: 1 ст. б/н., 2 п. вм., 4 ст. б/н., 2 п. вм., 1 ст. б/н. = 8 п.

12 к.р.: связать 8 ст. б/н.

13 к.р.: 1 ст. б/н., 2 п. вм., 2 ст. б/н., 2 п. вм., 1 ст. б/н. = 6 п.

14 к.р.: связать 6 ст. б/н.

15 к.р.: 1 ст. б/н., 2 п. вм., 1 ст. б/н., 2 п. вм. = 4 п.

16-18 к.р.: вязать 4 ст. б/н., набить ватой

Крылья (4 шт.)

Набр. пряжей белого цвета 4 в.п.

1-2 р.: вязать 3 ст. б/н.

3 р.: удв. 1 п., 1 ст. б/н., удв. 1 п. = 5 п.

4-9 р.: вязать 5 ст. б/н.

10 р.: 2 п. вм., 1 ст. б/н., 2 п. вм. = 3 п.

11 р.: 3 п. вм. = 1 п.

Ножки (6 шт.)

Набр. пряжей оранжевого цвета 4 в.п.

Сборка

Крылья и ножки пришить. Глаза вышить. Стрекозу приклеить к подходящей по размеру заколке.

Совет: стрекоза будет также отлично смотреться в качестве брошки.

Сова

→ мудрая и начитанная

Описание работы

Голова и туловище

Набр. пряжей кофейного цвета 2 в.п.

1 к.р.: провязать 6 ст. б/н. во 2-ю в.п.

2 к.р.: удв. каждую п. = 12 п.

3 к.р.: удв. каждую 2 п. = 18 п.

4 к.р.: удв. каждую 3 п. = 24 п.

5-13 к.р.: вязать 24 ст. б/н.

14 к.р.: вязать только за заднюю стенку, при этом провязать каждую 3-ю и 4 п. вм. = 18 п.

15 к.р.: провязать по 2 п. вм. = 9 п., набить ватой, нить закрепить.

Глаза (2 шт.)

Набр. пряжей белого цвета 2 в.п.

1 к.р.: провязать 6 ст. б/н. во 2-ю в.п. = 6 п.

2 к.р.: удв. каждую п. = 12 п.

Крылья

(2 шт.)

Набр. пряжей кофейного цвета 3 в.п.

1 р.: связать 2 ст. б/н.

2 р.: удв. каждую п. – 4 п.

3 р.: вязать 4 ст. б/н.

4 р.: удв. 1 п., 2 ст. б/н., удв. 1 п. = 6 п.

5-6 р.: вязать 6 ст. б/н.

7 р.: 2 п. вм., 2 ст. б/н., 2 п. вм. = 4 п.

8 р.: провязать по 2 п. вм. = 2 п.

Клюв

Набр. пряжей светло-коричневого цвета 4 в.п., замкнуть в кольцо.

1-2 к.р.: вязать 4 ст. б/н., набить ватой.

Уши (2 шт.)

Набр. пряжей кофейного цвета 4 в.п.

1 р.: связать 3 ст. б/н.

2 р.: 3 п. вм. = 1 п.

Сборка

Пришить крылья, уши и нос. Затем пришить глаза, а сверху прикрепить глазки для игрушечных животных.

РАЗМЕР

5 см

МАТЕРИАЛ

▶ Пряжа кофейного, белого и светло-коричневого цветов, остатки

▶ Глазки для игрушечных животных коричнево-черного цвета, Ø 7 мм

▶ Крючок № 2,5

▶ Вата для наполнения игрушек

Еж

→ мягкие иголочки!

РАЗМЕР
6 см

МАТЕРИАЛ
- Пряжа песочного цвета, остатки
- Пряжа с бахромой шоколадного цвета, остатки
- 3 половинки бусинок черного цвета, Ø 3 мм
- Крючок № 2,5
- Вата для наполнения игрушек
- Кольцо для ключей

Описание работы

Голова и туловище

Набр. пряжей песочного цвета 2 в.п.

1 к.р.: провязать 4 ст. б/н. во 2. в.п.

2 к.р.: 1 ст. б/н., удв. 2 п., 1 ст. б/н. = 6 п.

3 к.р.: 2 ст. б/н., удв. 2 п., 2 ст. б/н. = 8 п.

4 к.р.: 3 ст. б/н., удв. 2 п., 3 ст. б/н. = 10 п.

5 к.р.: 4 ст. б/н., удв. 2 п., 4 ст. б/н. = 12 п.

далее вязать пряжей шоколадного цвета

6 к.р.: 4 ст. б/н., удв. 4 п., 4 ст. б/н. = 16 п.

7 к.р.: 5 ст. б/н., удв. 1 п., 4 ст. б/н., удв. 1 п., 5 ст. б/н. = 18 п.

8 к.р.: 1 ст. б/н., повт. 4 раза: 3 ст. б/н., удв. 1 п.; и в конце 1 ст. б/н. = 22 п.

9 к.р.: 5 ст. б/н., удв. 1 п., 10 ст. б/н., удв. 1 п., 5 ст. б/н. = 24 п.

10-12 к.р.: вязать 24 ст. б/н.

13 к.р.: провязать каждую 5 и 6 п. вм. = 20 п.

14 к.р.: провязать каждую 4 и 5 п. вм. = 16 п.

15 к.р.: провязать каждую 3 и 4 п. вм. = 12 п.

16 к.р.: провязать каждую 2 и 3 п. вм. = 8 п., набить ватой, нить закрепить.

Сборка

Половинки бусинок приклеить в качестве глаз и носа, закрепить ежика на кольце для ключей.

Божья коровка

→ талисман на удачу

Описание работы

Туловище

Набр. пряжей черного цвета 2 в.п.

1 к.р.: провязать 5 ст. б/н. во 2-ю в.п.

2 к.р.: удв. 1 п., 1 ст. б/н., удв. 1 п., 1 ст. б/н., удв. 1 п. = 8 п.

3 к.р.: 2 ст. б/н., удв. 4 п., 2 ст. б/н. = 12 п.

4 к.р.: 3 ст. б/н., удв. 6 п., 3 ст. б/н. = 18 п.

5 к.р.: 3 ст. б/н., удв. 1 п., 10 ст. б/н., удв. 1 п., 3 ст. б/н. = 20 п.

6-7 к.р.: вязать 20 ст. б/н.

8 к.р.: провязать каждую 4 и 5 вм. = 16 п.

9 к.р.: провязать каждую 4 и 3 п. вм. = 12 п.

10 к.р.: провязать каждую 2 и 3 п. вм. = 8 п., набить ватой

11 к.р.: провязать по 2 п. вм. = 4 п.

Крылья (2 шт.)

Набр. пряжей красного цвета 7 в.п. и связать 6 ст. б/н.

1 к.р.: провязать 3 ст. б/н. в 1-ю п., 4 ст. б/н., удв. 1 п., далее вязать по нижнему краю: удв. 1 п., 4 ст. б/н., 3 ст. б/н. в последнюю п.

2 к.р.: 2удв. 2 п., 14 ст. б/н., удв. 2 п. = 22 п.

Усики (2 шт.)

Пряжей черного цвета связать 3 в.п.

Петелька на кольцо для ключей

Пряжей черного цвета связать 12 в.п.

Сборка

Пришить усики к голове, глаза вышить. На крыльях вышить черные точки и пришить крылья к туловищу. Затем пришить петельку и продеть ее в кольцо для ключей.

РАЗМЕР

4 см

МАТЕРИАЛ

◆ Пряжа черного и красного цветов, остатки

◆ Нитки мулине белого и черного цветов, остатки

◆ Крючок № 2,5

◆ Вата для наполнения игрушек

◆ Кольцо для ключей

ЗИМНИЙ МИР

Низкокалорийные пряники – те, которые никто не ест! Сладкоежки охотно прикрепляют связанные крючком пряники с магнитами на холодильник или раздаривают их. Если на улице холодно и неуютно, возьмитесь за вязание игрушек для новогодней елки. Эти зимние фигурки не только согреют сердце, но и подсластят время ожидания праздников, не прибавив ни грамма к вашему весу.

Эскимос

→ очень тепло одет

Описание работы

Голова, туловище, штаны и обувь

Набр. пряжей песочного цвета 2 в.п.

1 к.р.: провязать 5 ст. б/н. во 2-ю в.п.

2 к.р.: удв. каждую п. = 10 п.

3 к.р.: удв. каждую 2 п. = 15 п.

4 к.р.: удв. каждую 3 п. = 20 п.

5-6 к.р.: вязать 20 ст. б/н.

7 к.р.: провязать каждую 3 и 4 п. вм. = 15 п.

8 к.р.: провязать каждую 2 и 3 п. вм. = 10 п., набить ватой

9 к.р.: провязать по 2 п. вм. = 5 п.

туловище вязать далее пряжей синего цвета

10 к.р.: удв. каждую п. = 10 п.

11 к.р.: удв. каждую 2 п. = 15 п.

12 к.р.: удв. каждую 3 п. = 20 п.

13 к.р.: удв. каждую 4 п. = 25 п.

14-18 к.р.: вязать 25 ст. б/н.

19 к.р.: вязать только за переднюю стенку пушистой пряжей белого цвета 25 ст. б/н.

штаны вязать далее пряжей красного цвета

19 к.р.: вязать только за заднюю стенку 25 ст. б/н.

20 к.р.: 25 ст. б/н., затем разделить работу на 2 части (штаны)

21 к.р.: 13 ст. б/н., 2 в.п., затем провязать п/ст. б/н. в 11 ст. б/н. = 15 п.

22-24 к.р.: вязать 15 ст. б/н.

25 к.р.: вязать только за переднюю стенку пушистой пряжей белого цвета 15 ст. б/н.

далее вязать обувь пряжей черного цвета

25 к.р.: вязать только за заднюю стенку 15 ст. б/н.

26 к.р.: связать 15 ст. б/н.

27 к.р.: 5 ст. б/н., 2 п. вм., 8 ст. б/н. = 14 п.

28 к.р.: 5 ст. б/н., 2 п. вм., 7 ст. б/н. = 13 п.

29 к.р.: вязать только за заднюю стенку, при этом провязывать по 2 п. вм., 1 ст. б/н. = 7 п.

вторую штанину вязать аналогично, с 21 к.р.

Руки (2 шт.)

Набр. пряжей оранжевого цвета 2 в.п.

1 к.р.: провязать 4 ст. б/н. во 2-ю в.п.

2 к.р.: удв. каждую 2 п. = 6 п.

3 к.р.: вязать только за переднюю стенку пушистой пряжей белого цвета 6 ст. б/н.

далее вязать пряжей синего цвета

3 к.р.: вязать только за заднюю стенку 6 ст. б/н.

4-7 к.р.: вязать 6 ст. б/н.

Шапка

Набр. пряжей синего цвета 2 в.п.

1 к.р.: провязать 6 ст. б/н. во 2-ю в.п.

2 к.р.: удв. каждую п. = 12 п.

3 к.р.: удв. каждую 2 п. = 18 п.

4 к.р.: удв. каждую 3 п. = 24 п.

5 к.р.: удв. каждую 4 п. = 30 п.

6-7 к.р.: вязать 30 ст. б/н.

Рыба

Пряжей желтого цвета связать 2 в.п. + 1 в.п. для подъема

1 к.р.: связать 2 ст. б/н. по верхнему краю и 2 ст. б/н. на нижнему краю цепочки из в.п. = 4 п.

2 к.р.: удв. каждую п. = 8 п.

3 к.р.: удв. 1 п., 2 ст. б/н., удв. 2 п., 2 ст. б/н., удв. 1 п. = 12 п.

4-5 к.р.: вязать 12 ст. б/н.

6 к.р.: 2 п. вм., 2 ст. б/н., 2х 2 п. вм., 2 ст. б/н., 2 п. вм. = 8 п.

7 к.р.: провязать по 2 п. вм. = 4 п., набить ватой

Работу сложить и вязать одновременно за переднюю и заднюю стенку.

1 р.: удв. 2 п. = 4 п.

2 р.: удв. 1 п., 2 п/ст. б/н., удв. 1 п.

Сборка

Руки набить ватой и пришить к туловищу. Волосы вышить черными нитками, а сверху пришить шапку. Нос вышить 5 стежками песочного цвета, далее вышить глаза и рот. Вышить узор на одежде. Приклеить рыбе глаза и пришить ее к руке.

РАЗМЕР
10 см

МАТЕРИАЛ

◆ Пряжа песочного, синего, красного, оранжевого, желтого и черного цветов, остатки

◆ Пушистая пряжа белого цвета, остатки

◆ Нитки мулине красного, черного и белого цветов, остатки

◆ 2 глаза для кукол, Ø 3 мм

◆ Крючок № 2,5

◆ Вата для наполнения игрушек

Снеговик

→ снег идет, снег идет...

РАЗМЕР
9 см

МАТЕРИАЛ
- Пряжа белого цвета, 50 г
- Пряжа черного и красно-коричневого

цветов, остатки
- Нитки мулине черного цвета, остатки
- Крючок № 2,5
- Вата для наполнения игрушек

Описание работы

Голова и туловище
Набр. пряжей белого цвета 2 в.п.

1 к.р.: провязать 5 ст. б/н. во 2-ю в.п.
2 к.р.: удв. каждую п. = 10 п.
3 к.р.: удв. каждую 2 п. = 15 п.
4 к.р.: удв. каждую 3 п. = 20 п.
5 к.р.: удв. каждую 4 п. = 25 п.
6-8 к.р.: вязать 25 ст. б/н.
9 к.р.: провязать каждую 4 и 5 п. вм. = 20 п.
10 к.р.: провязать каждую 3 и 4 п. вм. = 15 п.
11 к.р.: провязать каждую 2 и 3 п. вм. = 10 п.
12 к.р.: удв. каждую 2 п. = 15 п.
13 к.р.: удв. каждую 3 п. = 20 п.
14 к.р.: удв. каждую 4 п. = 25 п.
15 к.р.: удв. каждую 5 п. = 30 п.
16-19 к.р.: вязать 30 ст. б/н.
20 к.р.: провязать каждую 5 и 6 п. вм. = 25 п.
21 к.р.: провязать каждую 4 и 5 п. вм. = 20 п.
22 к.р.: провязать каждую 3 и 4 п. вм. = 15 п.
23 к.р.: провязать каждую 2 и 3 п. вм. = 10 п., набить ватой
24 к.р.: провязать по 2 п. вм. = 5 п.

Нос
Набр. пряжей красно-коричневого цвета 2 в.п.
1 к.р.: провязать 5 ст. б/н. во 2-ю в.п.
2 к.р.: связать 5 ст. б/н.
3 к.р.: 2 п. вм., 1 ст. б/н., 2 п. вм. = 3 п., нить закрепить.

Шляпа
Набр. пряжей черного цвета 2 в.п.
1 к.р.: провязать 5 ст. б/н. во 2-ю в.п.
2 к.р.: удв. каждую п. = 10 п.
3 к.р.: удв. каждую 2 п. = 15 п.
4 к.р.: удв. каждую 3 п. = 20 п.
5 к.р.: вязать только за заднюю стенку, связать 20 ст. б/н.
6-7 к.р.: вязать 20 ст. б/н.
8 к.р.: вязать только за переднюю стенку, удв. каждую 4 п. = 25 п.
9 к.р.: удв. каждую 5 п. = 30 п.
10 к.р.: удв. каждую 6 п. = 35 п.
11 к.р.: удв. каждую 7 п. = 40 п.

Руки (2 шт.)
Набр. пряжей белого цвета 2 в.п.
1 к.р.: провязать 4 ст. б/н. во 2-ю в.п.
2 к.р.: удв. каждую п. = 8 п.
3-5 к.р.: вязать 8 ст. б/н.

Сборка
Руки набить ватой и пришить к туловищу. Шляпу набить ватой и пришить к голове. Нос набить ватой и пришить. Глаза вышить 5 стежками, а пуговицы 8 стежками каждую.

Медведь

→ белый и хорошенький

РАЗМЕР
9 см

МАТЕРИАЛ
Пряжа белого цвета, 50 г

Нитки мулине черного цвета, остатки

2 половинки бусинок черного цвета, Ø 6 мм

Крючок № 2,5

Вата для наполнения игрушек

Описание работы

Голова и туловище

Набр. пряжей белого цвета 2 в.п.

1 к.р.: провязать 5 ст. б/н. во 2-ю в.п.
2 к.р.: 1 ст. б/н., удв. 3 п., 1 ст. б/н. = 8 п.
3 к.р.: 2 ст. б/н., удв. 4 п., 2 ст. б/н. = 12 п.
4 к.р.: 4 ст. б/н., удв. 4 п., 4 ст. б/н. = 16 п.
5 к.р.: удв. каждую 2 п. = 24 п.
6 к.р.: 10 ст. б/н., 2х 2 п. вм., 10 ст. б/н. = 22 п.
7 к.р.: 8 ст. б/н., 2 п. вм., 2 ст. б/н., 2 п. вм., 8 ст. б/н. = 20 п.
8 к.р.: 7 ст. б/н., 2 п. вм., 2 ст. б/н., 2 п. вм., 7 ст. б/н. = 18 п.
9 к.р.: 2 п. вм., 5 ст. б/н., 2х 2 п. вм., 5 ст. б/н., 2 п. вм. = 14 п.
10 к.р.: удв. каждую 2 п. = 21 п.

11 к.р.: удв. каждую 3 п. = 28 п.
12 к.р.: 13 ст. б/н., удв. 2 п., 13 ст. б/н. = 30 п.
13-19 к.р.: вязать 30 ст. б/н.
20 к.р.: провязать каждую 5 и 6 п. вм. = 25 п.
21 к.р.: провязать каждую 4 и 5 п. вм. = 20 п.
22 к.р.: провязать каждую 3 и 4 п. вм. = 15 п.
23 к.р.: провязать каждую 2 и 3 п. вм. = 10 п., набить ватой
24 к.р.: провязать по 2 п. вм. = 5 п.

Передние лапы (2 шт.)

Набр. пряжей белого цвета 2 в.п.

1 к.р.: провязать 5 ст. б/н. во 2-ю в.п.
2 к.р.: удв. 1 п., 1 ст. б/н., удв. 1 п., 1 ст. б/н., удв. 1 п. = 8 п.
3-7 к.р.: вязать 8 ст. б/н.

Задние лапы (2 шт.)

Набр. пряжей белого цвета 2 в.п.
1-4 к.р.: вязать как переднюю лапу
5 к.р.: удв. 1 п., 6 ст. б/н., удв. 1 п. = 10 п.
6-8 к.р.: вязать 10 ст. б/н.

Уши (2 шт.)

Набр. пряжей белого цвета 2 в.п.
1 к.р.: провязать 5 ст. б/н. во 2-ю в.п.
2 к.р.: связать 5 ст. б/н.

Сборка

Набить ватой лапы и уши, пришить. Приклеить половинки бусинок как глаза, а нос вышить.

Пингвин

→ всегда одет по погоде

РАЗМЕР
7 см

МАТЕРИАЛ
◆ Пряжа черно-
го цвета, 50 г
◆ Пряжа белого
и оранжевого
цветов, остат-
ки
◆ 2 глаза для
кукол, Ø 5 мм
◆ Крючок № 2,5
◆ Вата для
наполнения
игрушек

Описание работы

Туловище
Набрать пряжей черного
цвета 2 в.п.
1 к.р.: провязать 6 ст. б/н. во
2-ю в.п.
2 к.р.: удв. каждую п. = 12 п.
3 к.р.: удв. каждую 2 п. =
18 п.
4-6 к.р.: вязать 18 ст. б/н.
7 к.р.: 1 ст. б/н., удв. 1 п.,
14 ст. б/н., удв. 1 п., 1 ст. б/н.
= 20 п.
8 к.р.: 9 ст. б/н., 2 п. вм., 9 ст.
б/н. = 19 п.
9 к.р.: 9 ст. б/н., удв. 1 п.,
9 ст. б/н. = 20 п.
10-11 к.р.: вязать 20 ст. б/н.
12 к.р.: 1 ст. б/н., удв. 1 п.,
16 ст. б/н., удв. 1 п., 1 ст. б/н.
= 22 п.
13 к.р.: связать 22 ст. б/
14 к.р.: 1 ст. б/н., удв. 1 п.,
18 ст. б/н., удв. 1 п. = 24 п.
15 к.р.: связать 24 ст. б/н.
16 к.р.: 1 ст. б/н., удв. 1 п.,
20 ст. б/н., удв. 1 п., 1 ст. б/н.
= 26 п.
17 к.р.: связать 26 ст. б/н.
18 к.р.: вязать только за
заднюю стенку: провязать
каждую 4 и 5 п. вм., 1 ст. б/н.
= 21 п.
19 к.р.: провязать каждую
3 и 4 п. вм., 1 ст. б/н. = 16 п.
20 к.р.: провязать 2 и 3 п.
вм., 1 ст. б/н. = 11 п., набить
ватой
21 к.р.: провязать по 2 п. вм.,
1 ст. б/н. = 6 п., нить закрепить = 5 п.

Нос
Набр. пряжей оранжевого
цвета 3 в.п.
1 к.р.: связать по 2 ст. с/н. по
верхнему и нижнему краю
цепочки из в.п. = 4 п.
2-4 к.р.: вязать 4 ст. б/н.

Хвост
Набрать пряжей черного
цвета 4 в.п.
1-2 р.: вязать 3 ст. б/н.
3 р.: 3 п. вм. = 1 п.

Животик
Набр. пряжей белого цвета
3 в.п.
1 р.: связать 2 ст. б/н.
2 р.: удв. 2 п. = 4 п.
3 р.: связать 4 ст. б/н.
4 р.: удв. 1 п., 2 ст. б/н., удв.
1 п. = 6 п.
5 р.: связать 6 ст. б/н.
6 р.: 2 п. вм., 2 ст. б/н., 2 п.
вм. = 4 п.
7 р.: связать 4 ст. б/н.
8 р.: провязать по 2 п. вм. =
2 п.

Крылья (2 шт.)
Набр. пряжей черного цвета
3 в.п.
1 р.: связать 2 ст. б/н.
2 р.: удв. 2 п. = 4 п.
3 р.: связать 4 ст. б/н.
4 р.: удв. 1 п., 2 ст. б/н., удв.
1 п. = 6 п.
5 р.: связать 6 ст. б/н.
6 р.: 2 п. вм., 2 ст. б/н., 2 п.
вм. = 4 п.
7 р.: связать 4 ст. б/н.
8 р.: провязать по 2 п. вм. =
2 п.
9 р.: связать 2 ст. б/н.
10 р.: 2 п. вм. = 1 п.

Лапы (2 шт.)
Набр. пряжей оранжевого
цвета 3 в.п.
1 к.р.: связать 2 ст. б/н. по
верхнему и 2 ст. б/н. по нижнему краям цепочки из в.п. =
4 п.
2 к.р.: связать 4 ст. б/н.
3 к.р.: удв. каждую п. = 8 п.
4-5 к.р.: вязать 8 ст. б/н.
6 к.р.: 1 ст. б/н., 2 п. вм.,
2 ст. б/н., 2 п. вм., 1 ст. б/н. =
6 п., ватой не набивать.

Сборка
Нос набить ватой и пришить.
Пришить лапы, затем пришить
хвост, крылья (кончиком
вниз) и животик. Наклеить
глаза.

Ангел

→ для тех, кто нам дорог

РАЗМЕР
9 см

МАТЕРИАЛ
- Пряжа розового и темно-красного цветов, 50 г
- Пряжа телесного и белого цветов, остатки
- Металлизированная пряжа золотого цвета, остатки
- Нитки мулине розового, синего, красного и зеленого цветов, остатки
- Крючок № 2,5
- Вата для наполнения игрушек

Описание работы

Голова и туловище
Набр. пряжей телесного цвета 2 в.п.
1 к.р.: провязать 5 ст. б/н. во 2-ю в.п.
2 к.р.: удв. каждую п. = 10 п.
3 к.р.: удв. каждую 2 п. = 15 п.
4 к.р.: удв. каждую 4 п. = 20 п.
5-6 к.р.: вязать 20 ст. б/н.
7 к.р.: провязать каждую 3 и 4 п. вм. = 15 п.
8 к.р.: провязать каждую 2 и 3 п. вм. = 10 п., набить ватой
9 к.р.: провязать по 2 п. вм. = 5 п.
далее вязать пряжей розового или темно-красного цвета
10 к.р.: связать 5 ст. б/н.
11 к.р.: удв. 1 п., 1ст. б/н., удв. 1 п., 1ст. б/н., удв. 1 п. = 8 п.
12 к.р.: удв. каждую 2 п. = 12 п.
13 к.р.: связать 12 ст. б/н.
14 к.р.: удв. каждую 3 п. = 16 п.
15-16 к.р.: вязать 16 ст. б/н.
17 к.р.: удв. каждую 4 п. = 20 п.
18-19 к.р.: вязать 20 ст. б/н.
20 к.р.: удв. каждую 5 п. = 24 п.
21-22 к.р.: вязать 24 ст. б/н.
23 к.р.: удв. каждую 6 п. = 28 п.
24-25 к.р.: вязать 28 ст. б/н.
26 к.р.: вязать только за заднюю стенку: провязать каждую 3 и 4 п. вм. = 21 п.
27 к.р.: провязать каждую 2 и 3 п. вм. = 14 п.
28 к.р.: провязать по 2 п. вм. = 7 п., набить ватой

29 к.р.: провязать по 2 п. вм., 1 ст. б/н. = 4 п., нить закрепить.

Руки (2 шт.)
Набр. пряжей телесного цвета 2 в.п.
1 к.р.: провязать 4 ст. б/н. во 2-ю в.п.
далее вязать пряжей розового или темно-красного цвета
2 к.р.: 1 ст. б/н., удв. 1 п., 1 ст. б/н., удв. 1 п. = 6 п.
3-7 к.р.: вязать 6 ст. б/н.

Крылья
Набр. пряжей белого цвета 7 в.п.
1 р.: связать 6 ст. б/н.
2 р.: удв. 1 п., 4 ст. б/н., удв. 1 п. = 8 п.
3 р.: удв. 1 п., 6 ст. б/н., удв. 1 п. = 10 п.
4 р.: удв. 1 п., 8 ст. б/н., удв. 1 п. = 12 п.
5 р.: удв. 1 п., 10 ст. б/н., удв 1 п. = 14 п.
6 р.: работу разделить: 7 ст. б/н., повернуть работу= 7 п.
7 р.: 2 п. вм., 4 ст. б/н., удв. 1 п. = 7 п.
8 р.: связать 7 ст. б/н.
9 р.: 2 п. вм., 5 ст. б/н. = 6 п.
10 р.: 2 п. вм., 2 ст. б/н., 2 вм. = 4 п.
11 р.: провязать по 2 п. вм. = 2 п.
другую сторону с середины 6 р. закончить аналогично
6 р.: 7 ст. б/н., повернуть работу
7 р.: удв. 1 п., 4 ст. б/н., 2 вм. = 7 п.
8 р.: связать 7 ст. б/н.
9 р.: 5 ст. б/н., 2 вм. = 6 п.
10 р.: 2 п. вм., 2 ст. б/н., 2 вм. = 4 п.
11 р.: провязать по 2 п. вм. = 2 п.

Сердце
Набр. пряжей темно-красного цвета 2 в.п.
1 к.р.: провязать во 2-ю в.п., повторив 3 раза: 1 ст. б/н., 2 в.п.
2 к.р.: в 1-ю дугу из в.п. провязать 1 ст. б/н., 1 ст. с/н., 1 ст. с 2/н., 1 ст. с/н., 1 п/ст. б/н.; во 2-ю дугу из в.п. провязать 1 п/ст. б/н., 1 ст. с/н., 1 ст. с 2/н., 1 ст. с/н., 1 п/ст. б/н.; в нижнюю верхушку 1 ст. б/н., в следующую п. 1 п/ст. б/н., 1 п/ст. б/н. в 1-й ст. б/н.

Сборка
Пришить к туловищу крылья. Руки набить ватой, пришить к туловищу, затем сшить их между собой и прикрепить к ним сердце. Прикрепить золотистые волосы и вышить личико.

Дед Мороз с мешком

→ ...подарков

РАЗМЕР
13 см

МАТЕРИАЛ
◆ Пряжа темно-красного цвета, 50 г
◆ Пряжа телесного и кофейного цветов, остатки
◆ Пушистая пряжа белого цвета, остатки
◆ Нитки мулине коричневого и красного цветов, остатки
◆ Крючок № 2,5
◆ Вата для наполнения игрушек

Описание работы

Голова и туловище
Набр. пряжей телесного цвета 2 в.п.
1 к.р.: провязать 5 ст. б/н. во 2-ю в.п.
2 к.р.: удв. каждую п. = 10 п.
3 к.р.: удв. каждую 2-ю п. = 15 п.
4 к.р.: удв. каждую 3 п. = 20 п.
5-6 к.р.: вязать 20 ст. б/н.
7 к.р.: провязать каждую 3 и 4 п. вм. = 15 п.
8 к.р.: провязать каждую 2 и 3 п. вм. = 10 п., набить ватой
9 к.р.: провязать по 2 п. вм. = 5 п.
далее вязать пряжей темно-красного цвета
10 к.р.: связать 5 ст. б/н.
11 к.р.: удв. 1 п., 1 ст. б/н., удв. 1 п., 1 ст. б/н., удв. 1 п. = 8 п.
12 к.р.: удв. каждую 2 п. = 12 п.
13 к.р.: связать 12 ст. б/н.
14 к.р.: удв. каждую 3 п. = 16 п.
15-16 к.р.: вязать 16 ст. б/н.
17 к.р.: удв. каждую 4 п. = 20 п.
18-19 к.р.: вязать 20 ст. б/н.
20 к.р.: удв. каждую 5 п. = 24 п.
21-22 к.р.: вязать 24 ст. б/н.
23 к.р.: удв. каждую 6 п. = 28 п.
24-25 к.р.: вязать 28 ст. б/н.
26 к.р.: вязать только за заднюю стенку, при этом провязать каждую 3 и 4 п. вм. = 21 п.
27 к.р.: провязать каждую 3 и 4 п. вм., 1 ст. б/н. = 16 п.
28 к.р.: провязать каждую 3 и 4 п. вм. = 12 п., набить ватой

29 к.р.: провязать по 2 п. вм. = 6 п.

Руки (2 шт.)
Набр. пряжей телесного цвета 2 в.п.
1 к.р.: провязать 4 ст. б/н. во 2-ю в.п.
2 к.р.: 1 ст. б/н., удв. 1 п., 1 ст. б/н., удв. 1 п. = 6 п.
3 к.р.: пушистой пряжей белого цвета связать 6 ст. б/н.
4-7 к.р.: пряжей темно-красного цвета связать 6 ст. б/н.

Шапка
Набр. пряжей белого цвета 22 в.п., замкнуть в кольцо
1 к.р.: связать 22 ст. б/н.
далее вязать пряжей темно-красного цвета
2-4 к.р.: вязать 22 ст. б/н.
5 к.р.: 3 ст. б/н., 2 п. вм., 4 ст. б/н., 2 п. вм., 3 ст. б/н., 2 п. вм., 4 ст. б/н., 2 п. вм. = 18 п.
6 к.р.: связать 18 ст. б/н.
7 к.р.: 2 ст. б/н., 2 п. вм., 3 ст. б/н., 2 п. вм., 2 ст. б/н., 2 п. вм., 3 ст. б/н., 2 п. вм. = 14 п.
8 к.р.: связать 14 ст. б/н.
9 к.р.: 1 ст. б/н., 2 п. вм., 2 ст. б/н., 2 п. вм., 1 ст. б/н., 2 п. вм., 2 ст. б/н., 2 п. вм. = 10 п.
10 к.р.: связать 10 ст. б/н.
11 к.р.: 2 п. вм., 1 ст. б/н., 2х 2 п. вм., 1 ст. б/н., 2 п. вм. = 6 п.
12 к.р.: связать 6 ст. б/н.
далее вязать помпон пряжей белого цвета
13 к.р.: связать 6 ст. б/н.
14 к.р.: удв. каждую п. = 12 п.
15 к.р.: провязать по 2 п. = 6 п., набить ватой.

Мешок
Набр. пряжей кофейного цвета 2 в.п.
1 к.р.: провязать 6 ст. б/н. во 2-ю в.п.
2 к.р.: удв. каждую п. = 12 п.
3 к.р.: удв. каждую 2-ю п. = 18 п.
4 к.р.: вязать только за заднюю стенку 18 ст. б/н.
5-12 к.р.: вязать 18 ст. б/н.
13 к.р.: постоянно повт.: 1 ст. б/н., 2 в.п., набить ватой
После 10 к.р. стянуть мешок нитью, завязав ее бантиком

Борода
Набр. пряжей белого цвета 10 в.п.
1-2 р.: вязать 9 ст. б/н.
3 р.: 2 п. вм., 5 ст. б/н., 2 п. вм. = 7 п.
4 р.: связать 7 ст. б/н.
5 р.: 2 п. вм., 3 ст. б/н., 2 п. вм. = 5 п.
6-7 р.: вязать 5 ст. б/н.
8 р.: 2 п. вм., 1 ст. б/н., 2 п. вм. = 3 п.
9 р.: связать 3 ст. б/н.
10 р.: 3 п. вм. = 1 п.

Сборка
Набить ватой руки и пришить к туловищу. Шапку немного набить ватой и пришить к голове. Вышить глаза и рот. Мешок пришить к руке, затем пришить к лицу бороду.

Олень

→ верный спутник

- -

Описание работы

См. Зебра на стр. 8

Туловище, уши, передние и задние ноги

Вязать пряжей кофейного цвета

Передние ноги

1-2 к.р.: вязать пряжей черного цвета
3-9 к.р.: далее вязать пряжей кофейного цвета

Задние ноги

1-2 к.р.: вязать пряжей черного цвета

3-9 к.р.: далее вязать пряжей кофейного цвета

Рога (основание, 2 шт.)

Набр. пряжей черного цвета 6 в.п.
1 р.: связать 5 ст. б/н.
2-3 р.: вязать 5 ст. б/н.
4 р.: 1 ст. б/н., 3 п. вм., 1 ст. б/н. = 3 п.
5 р.: связать 3 ст. б/н.
6 р.: 3 п. вм. = 1 п.
7 р.: удв. 1 п. = 2 п.
8-11 р.: вязать 2 ст. б/н.
12 р.: 1 ст. б/н., удв. 1 п. = 3 п.
13-14 р.: вязать 3 ст. б/н.

Рога (ответвления, 8 шт.)

Набр. пряжей черного цвета 4 в.п. и связать 3 ст. б/н.

Хвост

Набр. пряжей кофейного цвета 5 в.п. и связать 4 ст. б/н.

Сборка

Набить ноги ватой и пришить к туловищу. К каждому основанию рогов на р. 1–7 присоединить 4 ответвления и пришить рога узким концом к голове. Пришить хвост и уши. Глаза вышить.

РАЗМЕР

9 см

МАТЕРИАЛ

◆ Пряжа кофейного цвета, 50 г
◆ Пряжа черного цвета, остатки
◆ Нитки мулине белого и черного цветов, остатки
◆ Крючок № 2,5
◆ Вата для наполнения игрушек

Ангелочек для рождественской елки

→ ностальгия

РАЗМЕР
8 см

МАТЕРИАЛ
- Пряжа белого, темно-красного и телесного цветов, остатки
- Металлизированная пряжа серебряного и золотого цветов, остатки
- Нитки мулине красного, синего и зеленого цветов, остатки
- Крючок № 2,5
- Вата для наполнения игрушек

Описание работы

Голова и платье
Набр. пряжей телесного цвета 2 в.п.
1 к.р.: провязать 5 ст. б/н. во 2-ю в.п.
2 к.р.: удв. каждую п. = 10 п.
3 к.р.: удв. каждую 2 п. = 15 п.
4 к.р.: удв. каждую 3 п. = 20 п.
5-6 к.р.: вязать 20 ст. б/н.
7 к.р.: провязать каждую 3 и 4 п. вм. = 15 п.
8 к.р.: провязать каждую 2 и 3 п. вм. = 10 п., набить ватой
9 к.р.: провязать по 2 п. вм. = 5 п.
далее вязать пряжей белого или темно-красного цвета
10 к.р.: в каждую п. провязать по 3 ст. б/н. = 15 п.
11 к.р.: удв. каждую 5-ю п. = 18 п.
12 к.р.: связать 18 ст. б/н.
13 к.р.: удв. каждую 3 п. = 24 п.
14-15 к.р.: вязать 24 ст. б/н.
16 к.р.: удв. каждую 4 п. = 30 п.
17-18 к.р.: вязать 30 ст. б/н.
19 к.р.: удв. каждую 5 п. = 36 п.
20-21 к.р.: вязать 36 ст. б/н.
22 к.р.: вязать поочередно 1 ст. б/н. и 2 в.п. серебряной или золотой пряжей.

Шапка
Набр. пряжей белого или темно-красного цвета 2 в.п.
1 к.р.: провязать 6 ст. б/н. во 2-ю в.п.
2 к.р.: удв. каждую п. = 12 п.
3 к.р.: удв. каждую 2 п. = 18 п.
4 к.р.: удв. каждую 3 п. = 24 п.
5 к.р.: связать 24 ст. б/н.
6 к.р.: пряжей серебряного или золотого цвета связать 24 ст. б/н.

Руки (2 шт.)
Набр. пряжей телесного цвета 2 в.п.
1 к.р.: провязать 5 ст. б/н. во 2-ю в.п.
2 к.р.: связать 5 ст. б/н.
далее вязать пряжей белого или темно-красного цвета
3-6 к.р.: вязать 5 ст. б/н.

Крылья
Набр. пряжей серебряного или золотого цвета 4 в.п.
1 р.: провязать во 2-ю п. 3 ст. б/н., в 3-ю п. 3 ст. б/н., в 4-ю п. 3 ст. б/н. = 9 п.
2-3 р.: вязать 9 ст. б/н.
4 р.: удв. 1 п., 7 ст. б/н., удв. 1 п. = 11 п.
5 р.: связать 11 ст. б/н.
6 р.: связать 5 ст. б/н., повернуть работу
7-9 р.: вязать 5 ст. б/н.
10 р.: 2 п. вм., 1 ст. б/н., 2 п. вм. = 3 п.
11 р.: связать 3 ст. б/н.
12 р.: 3 п. вм. = 1 п.
вторую часть вязать симметрично
6 р.: среднюю п. пропустить, 5 ст. б/н. = 5 п.
7-9 р.: вязать 5 ст. б/н.
10 р.: 2 п. вм., 1 ст. б/н., 2 п. вм. = 3 п.
11 р.: связать 3 ст. б/н.
12 р.: 3 п. вм. = 1 п.

Сборка
Руки набить ватой и пришить к туловищу. Пришить шапку и крылья. Вышить рот и глаза.

4 ангела

→ **поют хором**

РАЗМЕР
6,5 см

МАТЕРИАЛ

◆ Пряжа голубого, нежно-розового, ярко-розового, телесного и белого цветов, остатки

◆ Металлизированная пряжа золотого и серебряного цветов, остатки

◆ Маленькие камешки в форме сердца, Ø 6 мм

◆ Крючок № 2,5

Описание работы

Голова
Набр. пряжей телесного цвета 4 в.п., провязать в 4-ю в. п. 11 ст. с/н.

Туловище
Далее вязать пряжей голубого, нежно-розового, белого или ярко-розового цветов
1 р.: связать 3 ст. б/н., повернуть работу
2 р.: связать 3 ст. б/н.
3 р.: удв. 1 п., 1 ст. б/н., удв. 1 п. = 5 п.
4 р.: связать 5 ст. б/н.
5 р.: удв. 1 п., 3 ст. б/н., удв. 1 п. = 7 п.
6 р.: связать 7 ст. б/н.
7 р.: удв. 1 п., 5 ст. б/н., удв. 1 п. = 9 п.
8 р.: связать 9 ст. б/н.

9 р.: удв. 1 п., 7 ст. б/н., удв. 1 п. = 11 п.
10 р.: связать 11 ст. б/н.
11 р.: удв. 1 п., 9 ст. б/н., удв. 1 п. = 13 п.
12 р.: связать 13 ст. б/н.
13 р.: пропустить 2 п., в 3-ю п. провязать 4 ст. с/н., пропустить 1 п., 1 п/ст. б/н., пропустить 1 п., в 7-ю п. провязать 4 ст. с/н., пропустить 1 п., 1 п/ст. б/н., провязать в 11-ю п. 4 ст. с/н., пропустить 1 п., 1 п/ст. б/н.

Крылья
Набр. пряжей белого цвета 6 в.п.
1 р.: связать 5 ст. б/н.
2 р.: 4 ст. б/н., удв. 1 п. = 6 п.
3 р.: связать 6 ст. б/н.
4 р.: 5 ст. б/н., удв. 1 п. = 7 п.
5 р.: 3 ст. б/н., удв. 1 п., 3 ст. б/н. = 8 п.
6 р.: без п. для подъема, пропустить 1 п., во 2-ю п. провязать 4 ст. с/н., пропустить 1 п., 1 п/ст. б/н., пропу-

стить 1 п., в 6-ю п. провязать 4 ст. с/н., пропустить 1 п., 1 п/ст. б/н. второе крыло связать симметрично, для этого набр. пряжей белого цвета 6 в.п.
1 р.: связать 5 ст. б/н.
2 р.: удв. 1 п., 4 ст. б/н. = 6 п.
3 р.: связать 6 ст. б/н.
4 р.: удв. 1 п., 5 ст. б/н. = 7 п.
5 р.: 3 ст. б/н., удв. 1 п., 3 ст. б/н. = 8 п.
6 р.: без п. для подъема, пропустить 1 п., во 2-ю п. провязать 4 ст. с/н., пропустить 1 п., 1 п/ст. б/н., пропустить 1 п., в 6-ю п. провязать 4 ст. с/н., пропустить 1 п., 1 п/ст. б/н.

Нимб
Связать пряжей золотого или серебряного цвета 12 в.п.

Сборка
Пришить крылья и нимб. Наклеить сердечко.

Пряничный человечек и сердце

→ притягательны, практичны, с любовью

Пряничный человечек

Голова, туловище и руки

Набр. пряжей песочного цвета 2 в.п.

1 к.р.: провязать 6 ст. б/н. во 2-ю п.

2 к.р.: удв. каждую п. = 12 п.

3 к.р.: удв. каждую 2 п. = 18 п., закончить работу

4 р.: снова набр. 6 в.п., провязать 4 ст. б/н. в 4 средние п. головы, 7 в.п.

5 р.: 6 ст. б/н., 4 ст. б/н., 6 ст. б/н. = 16 п.

6 р.: удв. 1 п., 14 ст. б/н., удв. 1 п. = 18 п.

7 р.: связать 18 ст. б/н.

8 р.: 2 п. вм., 14 ст. б/н., 2 п. вм. = 16 п.

9 р.: 5 п/ст. б/н., 1 в.п., 6 ст. б/н. = 6 п.

10 р.: удв. 1 п., 4 ст. б/н., удв. 1 п. = 8 п.

11 р.: связать 8 ст. б/н.

12 р.: удв. 1 п., 6 ст. б/н., удв. 1 п. = 10 п.

1-я нога

13 р.: удв. 1 п., 4 ст. б/н., работу повернуть = 6 п.

14 р.: 2 п. вм., 4 ст. б/н. = 5 п.

15 р.: удв. 1 п., 2 ст. б/н., 2 п. вм. = 5 п.

16 р.: 2 п. вм., 1 ст. б/н., 2 п. вм. = 3 п.

17 р.: связать 3 ст. б/н.

18 р.: 3 п. вм. = 1п.

2-я нога

13 р.: начать с середины, 4 ст. б/н., удв. 1 п. = 6 п.

14 р.: 4 ст. б/н., 2 п. вм. = 5 п.

15 р.: 2 п. вм., 2 ст. б/н., удв. 1 п. = 5 п.

16 р.: 2 п. вм., 1 ст. б/н., 2 п. вм. = 3 п.

17 р.: связать 3 ст. б/н.

18 р.: 3 п. вм. = 1 п.

Сборка

Работу стежками прошить по краю. Вышить лицо и пуговицы. С обратной стороны прикрепить магнит.

Сердце

Набр. пряжей песочного цвета 2 в.п.

1 р.: провязать 1 ст. б/н. во 2-ю в. п.

2 р.: удв. 1 п. = 2 п.

3 р.: удв. 2 п. = 4 п.

4 р.: удв. 1 п., 2 ст. б/н., удв. 1 п. = 6 п.

5 р.: удв. 1 п., 4 ст. б/н., удв 1 п. = 8 п.

6 р.: удв. 1 п., 6 ст. б/н., удв. 1 п. = 10 п.

7 р.: удв. 1 п., 8 ст. б/н., удв. 1 п. = 12 п.

8-10 р.: вязать 12 ст. б/н. работу разделить

11 р.: связать 6 ст. б/н., повернуть работу

12 р.: 2 п. вм., 2 ст. б/н., 2 п. вм. = 4 п.

13 р.: связать 4 ст. б/н.

14 р.: провязать по 2 п. вм. = 2 п.

Вторую половину вязать с середины 11 р.

повт. 11–14 р.

Сборка

Работу стежками прошить по краю, вышить пожелание в середине. На обратной стороне прикрепить магнит.

РАЗМЕР
Пряничный человечек 8 см
Сердце 4,5 см

МАТЕРИАЛ
► Пряжа песочного и белого цветов, остатки
► Крючок № 2,5
► Магниты

ВОДНЫЙ МИР

В этой части книги собралась большая компания самых разных рыб и морских животных. Для любителей моря, плавания, таинственных русалок и отважных пиратов. В ванной комнате острозубая акула не остановится перед зубной щеткой, морской конек дополнит атмосферу подводных глубин, а веселая медуза присмотрит за ключами – так каждое водное животное будет занято делом даже на суше.

Дельфин

→ *для любителей плавания*

Описание работы

Туловище

Пряжей светло-голубого цвета набр. 2 в.п.

1 к.р.: провязать во 2-ю в.п. 4 ст. б/н.

2 к.р.: 1 ст. б/н., удв. 2 п., 1 ст. б/н. = 6 п.

3 к.р.: 2 ст. б/н., удв. 2 п., 2 ст. б/н. = 8 п.

4 к.р.: 2 ст. б/н., удв. 4 п., 2 ст. б/н. = 12 п.

5 к.р.: 4 ст. б/н., удв. 4 п., 4 ст. б/н. = 16 п.

6 к.р.: 6 ст. б/н., удв. 1 п., 2 ст. б/н., удв. 1 п., 6 ст. б/н. = 18 п.

7-8 к.р.: вязать 18 ст. б/н.

9 к.р.: удв. 1 п., 16 ст. б/н., удв. 1 п. = 20 п.

10 к.р.: удв. 1 п., 18 ст. б/н., удв. 1 п. = 22 п.

11 к.р.: 1 ст. б/н., удв. 1 п., 6 ст. б/н., 2 п. вм., 2 ст. б/н., 2 п. вм., 6 ст. б/н., удв. 1 п., 1 ст. б/н. = 22 п.

12 к.р.: связать 22 ст. б/н.

13 к.р.: 1 ст. б/н., удв. 1 п., 18 ст. б/н., удв. 1 п., 1 ст. б/н. = 24 п.

14 к.р.: 1 ст. б/н., удв. 1 п., 7 ст. б/н., 2 п. вм., 2 ст. б/н., 2 п. вм., 7 ст. б/н., удв. 1 п., 1 ст. б/н. = 24 п.

15-16 к.р.: вязать 24 ст. б/н.

17 к.р.: 1 ст. б/н., удв. 1 п., 7 ст. б/н., 2 п. вм., 2 ст. б/н., 2 п. вм., 7 ст. б/н., удв. 1 п., 1 ст. б/н. = 24 п.

18 к.р.: связать 24 ст. б/н.

19 к.р.: 9 ст. б/н., 2 п. вм., 2 ст. б/н., 2 п. вм., 9 ст. б/н. = 22 п.

20 к.р.: 8 ст. б/н., 2 п. вм., 2 ст. б/н., 2 п. вм., 8 ст. б/н. = 20 п.

21 к.р.: 1 ст. б/н., удв. 1 п., 16 ст. б/н., удв. 1 п., 1 ст. б/н. = 22 п.

22 к.р.: 8 ст. б/н., 2 п. вм., 2 ст. б/н., 2 п. вм., 8 ст. б/н. = 20 п.

23 к.р.: 1 ст. б/н., удв. 1 п., 16 ст. б/н., удв. 1 п., 1 ст. б/н. = 22 п.

24 к.р.: удв. 1 п., 7 ст. б/н., 2 п. вм., 2 ст. б/н., 2 п. вм., 7 ст. б/н., удв. 1 п. = 22 п.

25 к.р.: 8 ст. б/н., 2 п. вм., 2 ст. б/н., 2 п. вм., 8 ст. б/н. = 20 п.

26 к.р.: удв. 1 п., 5 ст. б/н., 4х 2 п. вм., 5 ст. б/н., удв. 1 п. = 18 п.

27 к.р.: 6 ст. б/н., 2 п. вм., 2 ст. б/н., 2 п. вм., 6 ст. б/н. = 16 п.

28 к.р.: 5 ст. б/н., 2 п. вм., 2 ст. б/н., 2 п. вм., 5 ст. б/н. = 14 п.

29 к.р.: 4 ст. б/н., 2 п. вм., 2 ст. б/н., 2 п. вм., 4 ст. б/н. = 12 п.

30 к.р.: 3 ст. б/н., 3х 2 п. вм., 3 ст. б/н. = 9 п.

31 к.р.: 3 п/ст. б/н. в следующие 3 п., набить ватой.

Хвостовой плавник

Работу свернуть, положить швом вниз и вязать одновременно за заднюю и переднюю стенку.

1 р.: связать 4 ст. б/н.

2 р.: удв. 1 п., 2 ст. б/н., удв. 1 п. = 6 п.

3 р.: связать 6 ст. б/н.

4 р.: удв. 1 п., 4 ст. б/н., удв. 1 п. = 8 п.

5 р.: связать 8 ст. б/н.

6 р.: удв. 1 п., 1 ст. б/н., 2 п. вм., повернуть работу, 2 п. вм., 2 ст. б/н., повернуть работу, 1 ст. б/н., 2 п. вм. = 2 п.

далее вязать с середины 6 р., при этом:

2 п. вм., 1 ст. б/н., удв. 1 п., повернуть работу, 2 ст. б/н., 2 п. вм., повернуть работу, 2 ст. б/н., 1 ст. б/н. = 2 п.

Спинной и боковые плавники (3 шт.)

Набр. пряжей светло-голубого цвета 2 в.п.

1 р.: провязать 1 ст. б/н. во 2-ю в.п.

2 р.: удв. 1 п. = 2 п.

3 р.: удв. 2 п. = 4 п.

4 р.: связать 4 ст. б/н.

5 р.: удв. 1 п., 3 ст. б/н. = 5 п.

6 р.: связать 5 ст. б/н.

7 р.: удв. 1 п., 2 ст. б/н., 2 п. вм. = 5 п.

8 р.: 2 п. вм., 3 ст. б/н. = 4 п.

Сборка

Плавники пришить к туловищу, глаза вышить.

РАЗМЕР

13,5 см

МАТЕРИАЛ

◆ Пряжа светло-голубого цвета, 50 г

◆ Нитки мулине черного цвета, остатки

◆ Крючок № 2,5

◆ Вата для наполнения игрушек

Стайка рыб

→ экзотическая и яркая для самых маленьких

РАЗМЕР

Цветные рыбки 6 см
Сом 7,5 см

МАТЕРИАЛ

Крючок № 2,5

Вата для наполнения
игрушек

Леска

Водостойкий фломастер
черного цвета

Мобиль на кроватку

На каждую рыбку по
2 деревянные бусинки
белого цвета, Ø 2 мм

ОРАНЖЕВО-
БЕЛАЯ РЫБА

Пряжа белого и
оранжевого цветов,
остатки

ПОЛОСАТАЯ
ЗЕЛЕНАЯ РЫБА

Пряжа светло-зеленого и
салатового цветов,
остатки

СИНЯЯ РЫБА

Пряжа ярко-синего
цвета, остатки

ПОЛОСАТАЯ
ЛИЛОВАЯ РЫБА

Пряжа сиреневого и
фиолетового цветов,
остатки

ГОЛУБАЯ РЫБА

Пряжа голубого цвета,
остатки

СОМ

Пряжа желтого и
кораллового цветов,
остатки

2 деревянные бусинки
оранжевого цвета, Ø 6 мм

Маленькие рыбки

При вязании полосатых рыб следует
начинать с пряжи светлого тона, чередуя
ее с более темной через 1 к.р. Плавники
вязать из пряжи светлого тона.
Набр. пряжей 2 в.п.
1 к.р.: провязать 5 ст. б/н. во 2-ю в.п.
2 к.р.: удв. каждую п. = 10 п.
3 к.р.: удв. каждую 2-ю п. = 15 п.
4-8 к.р.: вязать 15 ст. б/н.
9 к.р.: провязать каждую 4 и 5 п. вм. =
12 п.
10 к.р.: провязать каждую 3 и 4 п. вм. =
9 п.
11 к.р.: провязать каждую 2 и 3 п. вм. =
6 п., набить ватой
В следующие 2 ст. б/н. провязать по 1 п/
ст. б/н., затем работу сложить вдвое,
швом вниз, вязать одновременно за
переднюю и заднюю стенки.

Хвостовой плавник

1 р.: связать 3 ст. б/н.
2 р.: удв. 1 п., 1 ст. б/н., удв. 1 п. = 5 п.
3 р.: удв. 1 п., 3 ст. б/н., удв. 1 п. = 7 п.
4 р.: 3 в.п., 1 п/ст. б/н., 3 в.п., 1 п/ст.
б/н., 3 п/ст. б/н., 3 в.п., 1 п/ст. б/н., 3
в.п., 1 п/ст. б/н.

Боковой плавник (2 шт.)

Набр. 3 в.п.
1 р.: связать 2 ст. б/н.
2 р.: 3 в.п., 1 п/ст. б/н., 3 в.п., 1 п/ст.
б/н.

Сборка

Плавники пришить по бокам. В качестве
глаз пришить бусинки, фломастером
нарисовать зрачки.

Сом

Рот и туловище

Пряжей желтого цвета набр. 16 в.п. и
замкнуть в кольцо
1-2 к.р.: вязать 16 ст. б/н.
3 к.р.: 2 ст. б/н., 2х 2 п. вм., 4 ст. б/н., 2х
2 п. вм., 2 ст. б/н. = 12 п.
4 к.р.: связать 12 ст. б/н.
5 к.р.: удв. каждую 3 п. = 16 п.
6 к.р.: удв. каждую 4 п. = 20 п.
7 к.р.: удв. каждую 5 п. = 24 п.
далее вязать пряжей кораллового цвета
8-12 к.р.: вязать 24 ст. б/н.
13 к.р.: провязать каждую 5 и 6 п. вм. =
20 п.
14 к.р.: провязать каждую 4 и 5 п. вм. =
16 п.

15 к.р.: провязать каждую 3 и 4 п. вм. =
12 п.
16 к.р.: провязать каждую 2 и 3 п. вм. =
8 п., набить ватой
в следующие 2 п. провязать по 1 п/ст.
б/н.

Хвостовой плавник

Работу сложить вдвое, швом вниз, далее
вязать пряжей кораллового цвета одновременно за заднюю и переднюю стенки.
1 р.: связать 4 ст. б/н.
2 к.р.: связать 4 ст. б/н. за переднюю и 4
ст. б/н. за заднюю стенку = 8 п.
3 к.р.: удв. каждую п. = 16 п.
4 к.р.: удв. каждую п. = 32 п.
5 к.р.: удв. каждую п. = 64 п.
6 к.р.: связать 64 ст. б/н.

Боковой плавник (2 шт.)

Набр. пряжей желтого цвета 5 в.п.
1 р.: связать 4 ст. б/н.
2-3 к.р. вязать 4 ст. б/н.
4 р.: повт. 4 раза: 3 в.п., 1 ст. б/н.

Спинной плавник

Набр. пряжей желтого цвета 7 в.п.
1 р.: связать 6 ст. б/н.
2 р.: удв. 1 п., 4 ст. б/н., удв. 1 п. = 8 п.
3 р.: связать 8 ст. б/н.
4 р.: повт. 8 раз: 3 в.п., 1 ст. б/н.

Сборка

Туловище разместить швом вниз и набить
ватой. Рот сложить вдвое и сшить в
самом узком месте (4–5 р.). Пришить
боковые и спинной плавники. В качестве
глаз пришить бусинки, нарисовать
зрачки.

Тюлень

→ очень милый

РАЗМЕР

14 см длина

МАТЕРИАЛ

◆ Пряжа светло-
  серого цвета,
  50 г

◆ Шерстяной
  помпон черно-
  го цвета, Ø 6 мм

◆ Нитки мулине
  черного и
  белого цветов,
  остатки

◆ Крючок № 2,5

◆ Вата для напол-
  нения игрушек

Описание работы

Туловище

Набр. пряжей светло-серого цвета
2 в.п.

1 к.р.: провязать 5 ст. б/н. во 2-ю в.п.

2 к.р.: удв. 1 п., 1 ст. б/н., удв. 1 п.,
1 ст. б/н., удв. 1 п. = 8 п.

3 к.р.: связать 8 ст. б/н.

4 к.р.: 3 ст. б/н., удв. 2 п., 3 ст. б/н. =
10 п.

5 к.р.: удв. 1 п., 2 ст. б/н., удв. 4 п.,
2 ст. б/н., удв. 1 п. = 16 п.

6 к.р.: 5 ст. б/н., удв. 6 п., 5 ст. б/н. =
22 п.

7 к.р.: удв. 1 п., 20 ст. б/н., удв. 1 п. =
24 п.

8 к.р.: удв. 1 п., 9 ст. б/н., 2х 2 п. вм.,
9 ст. б/н., удв. 1 п. = 24 п.

9 к.р.: связать 24 ст. б/н.

10 к.р.: удв. 1 п., 8 ст. б/н., 3х 2 п.
вм., 8 ст. б/н., удв. 1 п. = 23 п.

11 к.р.: удв. 2 п., 9 ст. б/н., 2 п. вм.,
8 ст. б/н., удв. 2 п. = 26 п.

12 к.р.: удв. 2 п., 8 ст. б/н., 2 п. вм., 2
ст. б/н., 2 п. вм., 8 ст. б/н., удв. 2 п. =
28 п.

13 к.р.: 12 ст. б/н., 2х 2 п. вм., 12 ст.
б/н. = 26 п.

14 к.р.: связать 26 ст. б/н.

15 к.р.: 11 ст. б/н., 2х 2 п. вм., 11 ст.
б/н. = 24 п.

16 к.р.: 5 ст. б/н., удв. 1 п., 12 ст. б/н.,
удв. 1 п., 5 ст. б/н. = 26 п.

17 к.р.: 6 ст. б/н., удв. 1 п., 12 ст. б/н.,
удв. 1 п., 6 ст. б/н. = 28 п.

18 к.р.: связать 28 ст. б/н.

19 к.р.: 6 ст. б/н., удв. 1 п., 14 ст. б/н.,
удв. 1 п., 6 ст. б/н. = 30 п.

20-22 к.р.: вязать 30 ст. б/н.

23 к.р.: провязать каждую 5 и 6 п. вм.
= 25 п.

24-25 к.р.: вязать 25 ст. б/н.

26 к.р.: провязать каждую 4 и 5 п. вм.
= 20 п.

27-28 к.р.: вязать 20 ст. б/н.

29 к.р.: провязать каждую 3 и 4 п. вм.
= 15 п.

30-31 к.р.: вязать 15 ст. б/н., набить
ватой

Хвост

Работу сложить вдвое, швом вниз,
затем вязать п/ст. б/н. до правой стороны работы. Вязать плавник одновременно за переднюю и заднюю
стенку.

1-4 р.: вязать 5 ст. б/н.

5 р.: 1 ст. б/н., 2 п. вм., повернуть
работу, 2 ст. б/н., повернуть работу,

3 в.п., 1 п/ст. б/н., 3 в.п., 1 п/ст. б/н.
далее новой нитью начать вязать с
середины 5 р., при этом:

2 п. вм., 1 ст. б/н., повернуть работу,
2 ст. б/н., повернуть работу, 3 в.п.,
1 п/ст. б/н., 3 в.п., 1 п/ст. б/н.

Ласты (2 шт.)

Набр. пряжей светло-серого цвета
5 в.п.

1 р.: связать 4 ст. б/н.

2-3 р.: вязать 4 ст. б/н.

4 р.: 2 п. вм., 2 ст. б/н. = 3 п.

5 р.: связать 3 ст. б/н.

6 р.: 2 п. вм., 1 ст. б/н. = 2 п.
далее вязать с прямой стороны, повт.
6 раз: 3 в.п., 1 п/ст. б/н. = 6 дуг.

Сборка

Усы изготовить из черной нитки,
вышить глаза и наклеить помпон в
качестве носа. Пришить ласты.

Краб

→ **самые мягкие клешни в мире**

РАЗМЕР

10 см

МАТЕРИАЛ

Пряжа красного цвета, 50 г

Пряжа оранжевого цвета, остатки

Нитки мулине коричневого цвета, остатки

2 глаза для кукол

Крючок № 2,5

Вата для наполнения игрушек

Описание работы

Туловище

Набр. пряжей красного цвета 2 в.п.

1 к.р.: провязать 6 ст. б/н. во 2-ю в.п.

2 к.р.: удв. каждую п. = 12 п.

3 к.р.: удв. каждую 2 п. = 18 п.

4 к.р.: удв. каждую 3 п. = 24 п.

5 к.р.: удв. каждую 4 п. = 30 п.

6 к.р.: удв. каждую 5 п. = 36 п.

7 к.р.: удв. каждую 6 п. = 42 п.

8 к.р.: провязать каждую 6 и 7 п. вм. = 36 п.

9 к.р.: провязать каждую 5 и 6 п. вм. = 30 п.

далее вязать пряжей оранжевого цвета

10 к.р.: провязать каждую 4 и 5 п. вм. = 24 п.

11 к.р.: провязать каждую 3 и 4 п. вм. = 18 п.

12 к.р.: провязать каждую 2 и 3 п. вм. = 12 п., набить ватой

13 к.р.: провязать по 2 п. вм. = 6 п.

Ножки (6 шт.)

Набр. пряжей красного цвета 11 в.п. и связать 10 ст. б/н.

Клешни (2 шт.)

Набр. пряжей красного цвета 2 в.п.

1 к.р.: провязать 4 ст. б/н. во 2-ю в.п.

2-4 к.р.: вязать 4 ст. б/н.

5 к.р.: удв. 1 п., 2 ст. б/н., удв. 1 п. = 6 п.

6-9 к.р.: вязать 6 ст. б/н.

Сборка

Клешни набить ватой и пришить. Затем пришить ножки и наклеить глаза. Рот вышить.

Акула

→ **держит зубную щетку**

РАЗМЕР

17,5 см

МАТЕРИАЛ

Пряжа темно-голубого цвета, 50 г

Пряжа голубого и белого цветов, остатки

Нитки мулине белого и черного цветов, остатки

Крючок № 2,5

Вата для наполнения игрушек

Описание работы

Туловище

Набр. пряжей темно-голубого цвета 2 в.п.

1 к.р.: провязать 5 ст. б/н. во 2-ю в.п.

2 к.р.: удв. 1 п., 1 ст. б/н., удв. 1 п., 1 ст. б/н., удв. 1 п. = 8 п.

3 к.р.: удв. 1 п., 6 ст. б/н., удв. 1 п. = 10 п.

4 к.р.: связать 10 ст. б/н.

5 к.р.: удв. 1 п., 8 ст. б/н., удв. 1 п. = 12 п.

6 к.р.: связать 12 ст. б/н.

7 к.р.: удв. каждую 4 п. = 15 п.

8 к.р.: связать 15 ст. б/н.

9 к.р.: удв. каждую 5 п. = 18 п.

10 к.р.: связать 18 ст. б/н.

11 к.р.: удв. каждую 6 п. = 21 п.

12 к.р.: удв. каждую 7 п. = 24 п.

13-16 к.р.: вязать 24 ст. б/н.

17 к.р.: провязать каждую 7 и 8 п. вм. 21 п.

18-21 к.р.: вязать 21 ст. б/н.

22 к.р.: провязать каждую 6 и 7 п. вм. = 18 п.

23-30 к.р.: вязать 18 ст. б/н.

31 к.р.: провязать каждую 5 и 6 п. вм. = 15 п.

32-35 к.р.: вязать 15 ст. б/н.

36 к.р.: провязать каждую 4 и 5 п. вм. = 12 п.

37-39 к.р.: вязать 12 ст. б/н.

40 к.р.: провязать каждую 3 и 4 п. вм. = 9 п., набить ватой

Хвост

Работу сложить поперек и вязать одновременно за заднюю и переднюю стенки

1 р.: удв. 1 п., 2 ст. б/н., удв. 1 п. = 6 п.

2 р.: удв. 1 п., 4 ст. б/н., удв. 1 п. = 8 п.

3 р.: удв. 1 п., 2 ст. б/н., повернуть работу, 2 п. вм., 1 ст. б/н., удв. 1 п., повернуть работу, 2 п. вм., 1 ст. б/н. = 2 п.

далее вязать с середины 3 р.: 4 ст. б/н., удв. 1 п., повернуть работу, удв. 1 п., 3 ст. б/н., 2 п. вм., повернуть работу,

2 п. вм., 3 ст. б/н., удв. 1 п., повернуть работу, 4 ст. б/н., 2 п. вм., повернуть работу, 2 п. вм., 2 ст. б/н., удв. 1 п., повернуть работу, 5 ст. б/н., 2 п. вм., повернуть работу, 2 ст. б/н., удв. 1 п., повернуть работу, 3 ст. б/н., 2 п. вм., повернуть работу, 2 п. вм., 2 ст. б/н., повернуть работу, 1 ст. б/н., 2 п. вм., повернуть работу, 2 п. вм. = 1 п.

Спинной плавник

Набр. пряжей темно-голубого цвета 7 в.п.

1 р.: связать 6 ст. б/н.

2 р.: удв. 1 п., 3 ст. б/н., 2 п. вм. = 6 п.

3 р.: связать 6 ст. б/н. = 6 п.

4 р.: удв. 1 п., 3 ст. б/н., 2 п. вм. = 6 п.

5 р.: связать 6 ст. б/н.

6 р.: удв. 1 п., 3 ст. б/н., 2 п. вм. = 6 п.

7 р.: 2 п. вм., 4 ст. б/н. = 5 п.

8 р.: 3 ст. б/н., 2 п. вм. = 4 п.

9 р.: 2 п. вм., 2 ст. б/н. = 3 п.

10 р.: 1 ст. б/н., 2 п. вм. = 2 п.

11 р.: 2 п. вм. = 1 п.

Боковой плавник

(2 шт.)

Набр. пряжей темно-голубого цвета 6 в.п.

1 р.: связать 5 ст. б/н.

2-3 р.: вязать 5 ст. б/н.

4 р.: удв. 1 п., 2 ст. б/н., 2 п. вм. = 5 п.

5-6 р.: вязать 5 ст. б/н.

7 р.: 2 п. вм., 2 ст. б/н., удв. 1 п. = 5 п.

8 р.: 1удв. 1 п., 2 ст. б/н., 2 п. вм. = 5 п.

9 р.: 2 п. вм., 3 ст. б/н. = 4 п.

10 р.: 2 ст. б/н., 2 п. вм. = 3 п.

11 р.: 2 п. вм., 1 ст. б/н. = 2 п.

Брюхо

Набр. пряжей голубого цвета 4 в.п., вязать, начиная спереди

1 р.: связать 3 ст. б/н.

2 р.: 1 ст. б/н., удв. 1 п., 1 ст. б/н. = 4 п.

3 р.: связать 4 ст. б/н.

4 р.: удв. 1 п., 2 ст. б/н., удв. 1 п. = 6 п.

5-8 р.: вязать 6 ст. б/н.

9 р.: удв. 1 п., 4 ст. б/н., удв.

1 п. = 8 п.

10-13 р.: вязать 8 ст. б/н.

14 р.: 2 п. вм., 4 ст. б/н., 2 п. вм. = 6 п.

15 р.: связать 6 ст. б/н.

16 р.: 2 п. вм., 2 ст. б/н., 2 п. вм. = 4 п.

Далее вязать зубы пряжей белого цвета по краю брюшка, начиная с 10 р.: с боков провязывать в каждую п. по 2 раза: 1 ст. б/н., 2 в.п., а с передней стороны провязывать в каждую п. 3 раза: 1 ст. б/н., 2 в.п. В конце нить протянуть сквозь зубы, сборить и закрепить так, чтобы появился рельеф.

Сборка

Пришить брюшко, боковые и спинной плавники. Глаза вышить.

Морской конек

→ **самый любимый водный обитатель**

РАЗМЕР
15 см

МАТЕРИАЛ

◆ Пряжа бледно-фисташкового цвета, 50 г

◆ Пряжа салатового цвета, 50 г

◆ Пряжа с бахромой светло-зеленого цвета, остатки

◆ Глаза для кукол, Ø 6 мм

◆ Крючок № 2,5

◆ Вата для наполнения игрушек

Описание работы

Туловище и хвост
Набр. пряжей салатового цвета 2 в.п.

1 к.р.: провязать 4 ст. б/н. во 2-ю в.п.

2-4 к.р.: вязать 4 ст. б/н.

5 к.р.: 1 ст. б/н., удв. 2 п., 1 ст. б/н. = 6 п.

6-10 к.р.: 2 п. вм., удв. 2 п., 2 п. вм. = 6 п.

11 к.р.: 2 п. вм., 2 п. утроить, 2 п. вм. = 8 п.

12-14 к.р.: 2 п. вм., 1 ст. б/н., удв. 2 п., 1 ст. б/н., 2 п. вм. = 8 п.

15 к.р.: 3 ст. б/н., удв. 2 п., 3 ст. б/н. = 10 п.

16 к.р.: 4 ст. б/н., удв. 2 п., 4 ст. б/н. = 12 п.

чередовать по 1 р. из пряжи бледно-фисташкового и салатового цветов

17 к.р.: связать 12 ст. б/н.

18 к.р.: 5 ст. б/н., удв. 2 п., 5 ст. б/н. = 14 п.

19 к.р.: связать 14 ст. б/н.

20 к.р.: 2 п. вм., 4 ст. б/н., удв. 2 п., 4 ст. б/н., 2 п. вм. = 14 п.

21 к.р.: связать 14 ст. б/н.

22 к.р.: 6 ст. б/н., удв. 2 п., 6 ст. б/н. = 16 п.

23 к.р.: связать 16 ст. б/н.

24 к.р.: 7 ст. б/н., удв. 2 п., 7 ст. б/н. = 18 п.

25 к.р.: 2 п. вм., 6 ст. б/н., удв. 2 п., 6 ст. б/н., 2 п. вм. = 18 п.

26 к.р.: удв. 1 п., 16 ст. б/н., удв. 1 п. = 20 п.

27 к.р.: связать 20 ст. б/н.

28 к.р.: удв. 1 п., 18 ст. б/н., удв. 1 п. = 22 п.

29 к.р.: связать 22 ст. б/н.

30 к.р.: удв. 1 п., 8 ст. б/н., 2х 2 п. вм., 8 ст. б/н., удв. 1 п. = 22 п.

31 к.р.: 9 ст. б/н., 2х 2 п. вм., 9 ст. б/н. = 20 п.

32 к.р.: 8 ст. б/н., 2х 2 п. вм., 8 ст. б/н. = 18 п.

33 к.р.: 2 п. вм., 14 ст. б/н., 2 п. вм. = 16 п.

34 к.р.: 6 ст. б/н., 2х 2 п. вм., 6 ст. б/н. = 14 п.

35 к.р.: 5 ст. б/н., 2х 2 п. вм., 5 ст. б/н. = 12 п.

далее вязать пряжей салатового цвета

36 к.р.: 5 ст. б/н., удв. 2 п., 5 ст. б/н. = 14 п.

37 к.р.: 6 ст. б/н., удв. 2 п., 6 ст. б/н. = 16 п.

38 к.р.: связать 16 ст. б/н.

39 к.р.: 7 ст. б/н., удв. 2 п., 7 ст. б/н. = 18 п.

40-41 к.р.: вязать 18 ст. б/н.

42 к.р.: 7 ст. б/н., 2х 2 п. вм., 7 ст. б/н. = 16 п., набить ватой

43 к.р.: провязать каждую 3 и 4 п. вм. = 12 п.

44 к.р.: провязать каждую 2 и 3 п. вм. = 8 п., набить ватой

45 к.р.: провязать по 2 п. вм. = 4 п.

Нить закрепить.

Мордочка
Набр. пряжей салатового цвета 2 в.п.

1 к.р.: провязать 4 ст. б/н. во 2-ю в.п.

2-3 к.р.: вязать 4 ст. б/н.

4 к.р.: 1 ст. б/н., удв. 2 п., 1 ст. б/н. = 6 п.

5 к.р.: удв. 1 п., 1 ст. б/н., удв. 2 п., 1 ст. б/н., удв. 1 п. = 10 п.

6 к.р.: 4 ст. б/н., удв. 2 п., 4 ст. б/н. = 12 п.

7 к.р.: 5 ст. б/н., удв. 2 п., 5 ст. б/н. = 14 п.

8-9 к.р.: вязать 14 ст. б/н.

Спинной плавник
Набр. пряжей салатового цвета 6 в.п.

1 р.: связать 5 ст. б/н.

2 р.: удв. 1 п., 3 ст. б/н., удв. 1 п. = 7 п.

3 р.: связать 7 ст. б/н.

4 р.: удв. 1 п., 5 ст. б/н., удв. 1 п. = 9 п.

5 р.: связать 9 ст. б/н.

6 р.: удв. 1 п., 7 ст. б/н., удв. 1 п. = 11 п.

7 р.: провязать 10 раз: 1 ст. б/н., 2 в.п.

Сборка
Мордочку набить ватой и пришить к туловищу, затем пришить спинной плавник. Сделать из пряжи с бахромой светло-зеленого цвета иголки и прикрепить их к спинке, приклеить глаза.

Морская звезда

→ щупальца-магниты

РАЗМЕР
12 см

МАТЕРИАЛ
◆ Пряжа малино-
вого цвета, 50 г
◆ Пряжа белого
цвета, остатки
◆ Крючок № 2,5
◆ Вата для напол-
нения игрушек
◆ 1–6 магнитов

Описание работы

Туловище (2 шт.)
Набр. пряжей малинового
цвета 2 в.п.

1 к.р.: провязать 6 ст. б/н.
во 2-ю в.п.

2 к.р.: удв. каждую п. = 12 п.

3 к.р.: удв. каждую 2 п. =
18 п.

4 к.р.: удв. каждую 3 п. =
24 п.

5 к.р.: удв. каждую 4 п. =
30 п.

Для щупальцев обе части
положить друг на друга вну-
тренней стороной. Далее

вязать по передней стороне
6 ст. б/н., набр. 1 в.п. Далее
по задней стороне 6 ст. б/н.,
набр. 1 в.п., 1 п/ст. б/н. в 1
ст. б/н.

1-4 к.р.: вязать 14 ст. б/н.

5 к.р.: 2 ст. б/н., 2 п. вм.,
1 ст. б/н., 2 п. вм., 2 ст. б/н.,
2 п. вм., 1 ст. б/н., 2 п. вм. =
10 п.

6-8 к.р.: вязать 10 ст. б/н.

9 к.р.: 2 п. вм., 1 ст. б/н., 2х
2 п. вм., 1 ст. б/н., 2 п. вм. =
6 п.

10-12 к.р.: вязать 6 ст. б/н.,
набить ватой
Следующие 4 щупальца
вязать так же, при этом взять

новые в.п. переднего к.р. =
14 п.

Сборка
Пряжей белого цвета вышить
2 стежками несколько точек.
Прикрепить магнит(ы) посередине звезды и по желанию
на кончиках щупальцев.

Осьминог

→ **хранитель ключей**

РАЗМЕР

7 см

МАТЕРИАЛ

- Пряжа нежно-розового цвета, остатки

- Нитки мулине белого, черного и красного цветов, остатки

- Крючок № 2,5

- Вата для наполнения игрушек

- Кольцо для ключей

Описание работы

Туловище

Набр. пряжей нежно-розового цвета 2 в.п.

1 к.р.: провязать 5 ст. б/н. во 2-ю в.п.

2 к.р.: удв. каждую п. = 10 п.

3 к.р.: удв. каждую 2 п. = 15 п.

4 к.р.: удв. каждую 3 п. = 20 п.

5 к.р.: вязать только за заднюю стенку, связать 20 ст. б/н. = 20 п.

6-7 к.р.: вязать 20 ст. б/н.

8 к.р.: провязать каждую 4 и 5 п. вм. = 16 п.

9 к.р.: связать 16 ст. б/н.

10 к.р.: провязать каждую 3 и 4 п. вм. = 12.

11 к.р.: провязать каждую 2 и 3 п. вм. = 9 п., набить ватой, нить закрепить.

Щупальца (8 шт.)

Набр. пряжей нежно-розового цвета 15 в.п., затем в каждую п. провязать по 3 ст. б/н. = 45 п.

Сборка

Глаза и рот вышить. Связать петельку на кольцо для ключей из 12 в.п., протянуть через кольцо и пришить.

Крокодил

→ осторожно, зубастая рептилия!

Описание работы

Туловище

Пряжей зеленого цвета набр. 3 в.п., начинать с хвоста
1 к.р.: 2 ст. б/н. по верхнему и 2 ст. б/н. по нижнему краям цепочки из в.п. = 4 п.
2 к.р.: 1 п/ст. б/н. над следующей п., нить снизу, удв. каждую п. = 8 п.
3 к.р.: 1 ст. б/н., удв. 1 п., 3 ст. б/н., удв. 1 п., 2 ст. б/н. = 10 п.
4-6 к.р.: вязать 10 ст. б/н.
7 к.р.: 2 ст. б/н., удв. 1 п., 4 ст. б/н., удв. 1 п., 2 ст. б/н. = 12 п.
8 к.р.: 4 ст. б/н., удв. 1 п., 2 ст. б/н., удв. 1 п., 4 ст. б/н. = 14 п.
9 к.р.: 3 ст. б/н., удв. 1 п., 7 ст. б/н., удв. 1 п., 2 ст. б/н. = 16 п.
10 к.р.: 3 ст. б/н., удв. 1 п., 9 ст. б/н., удв. 1 п., 2 ст. б/н. = 18 п.
11 к.р.: 5 ст. б/н., удв. 1 п., 1 ст. б/н., 2 п. вм., 2 ст. б/н., 2 п. вм., 1 ст. б/н., удв. 1 п., 3 ст. б/н. = 18 п.
12 к.р.: связать 18 ст. б/н.
13 к.р.: 4 ст. б/н., 2 п. вм., 7 ст. б/н., 2 п. вм., 3 ст. б/н. = 16 п.
14 к.р.: 3 ст. б/н., 2 п. вм., 7 ст. б/н., 2 п. вм., 2 ст. б/н. = 14 п.
15 к.р.: 3 ст. б/н., удв. 1 п., 7 ст. б/н., удв. 1 п., 2 ст. б/н. = 16 п.
16 к.р.: 4 ст. б/н., удв. 1 п., 7 ст. б/н., удв. 1 п., 3 ст. б/н. = 18 п.
17 к.р.: 4 ст. б/н., удв. 1 п., 9 ст. б/н., удв. 1 п., 3 ст. б/н. = 20 п.
18 к.р.: связать 20 ст. б/н.
19 к.р.: 5 ст. б/н., удв. 1 п., 10 ст. б/н., удв. 1 п., 3 ст. б/н. = 22 п.
20-22 к.р.: вязать 22 ст. б/н.
23 к.р.: 6 ст. б/н., удв. 1 п., 11 ст. б/н., удв. 1 п., 3 ст. б/н. = 24 п.
24 к.р.: связать 24 ст. б/н.
25 к.р.: 7 ст. б/н., 2 п. вм., 10 ст. б/н., 2 п. вм., 3 ст. б/н. = 22 п.
26 к.р.: 6 ст. б/н., 2 п. вм., 9 ст. б/н., 2 п. вм., 3 ст. б/н. = 20 п.
27 к.р.: 6 ст. б/н., 2 п. вм., 8 ст. б/н., 2 п. вм., 2 ст. б/н. = 18 п.
28 к.р.: 6 ст. б/н., 2 п. вм., 7 ст. б/н., 2 п. вм., 1 ст. б/н. = 16 п.
29 к.р.: 5 ст. б/н., 2 п. вм., 6 ст. б/н., 2 п. вм., 1 ст. б/н. = 14 п.
30 к.р.: повт. 2 раза: 5 ст. б/н., 2 п. вм. = 12 п.
31 к.р.: повт. 2 раза: 5 ст. б/н., удв. 1 п. = 14 п.
32-34 к.р.: вязать 14 ст. б/н.
35 к.р.: повт. 2 раза: 5 ст. б/н., 2 п. вм. = 12 п.
36-37 к.р.: вязать 12 ст. б/н.
38 к.р.: повт. 2 раза: 2 п. вм., 4 ст. б/н. = 10 п.
39-40 к.р.: вязать 10 ст. б/н.
41 к.р.: повт. 2 раза: 2 п. вм., 3 ст. б/н. = 8 п.
42-45 к.р.: вязать 8 ст. б/н.
46 к.р.: повт. 2 раза: 2 п. вм., 2 ст. б/н. = 6 п.
47-49 к.р.: вязать 6 ст. б/н., набить туловище ватой
50 к.р.: повт. 2 раза: 2 п. вм., 1 ст. б/н. = 4 п.
51-53 к.р.: вязать 4 ст. б/н., набить ватой

Нижняя челюсть

Набр. пряжей зеленого цвета 5 в.п.
1-3 р.: вязать 4 ст. б/н.
4 р.: 1 ст. б/н., 2 п. вм., 1 ст. б/н. = 3 п.
5-8 р.: вязать 3 ст. б/н.
9 р.: 3 п. вм. = 1 п.

Зубы (2 шт.)

Набр. пряжей белого цвета 17 в.п.
1 р.: 4 п/ст. б/н., повт. 4 раза: 2 в.п., 2 п/ст. б/н., затем 2 в.п., 4 п/ст. б/н.

Левая задняя лапа

Набр. пряжей зеленого цвета 12 в.п. и замкнуть в кольцо
1 к.р.: связать 12 ст. б/н.
2-3 к.р.: удв. 1 п., 3 ст. б/н., 2х 2 п. вм., 3 ст. б/н., удв. 1 п. = 12 п.
4-6 к.р.: 1 ст. б/н., 2х 2 п. вм. 3 ст. б/н., удв. 2 п., 2 ст. б/н. = 12 п.
7-10 к.р.: удв. 1 п., 3 ст. б/н., 2х 2 п. вм., 3 ст. б/н., удв. 1 п. = 12 п.
11 к.р.: работу сложить и далее вязать когти за переднюю и заднюю петли одновременно, при этом связать 3 в.п., 2 п/ст. б/н. назад, 1 п/ст. б/н. провязать в ногу, повт. 3 раза: 4 в.п., 3 п/ст. б/н. назад, 1 п/ст. б/н. в ногу, затем 3 в.п., 2 п/ст. б/н. назад, 1 п/ст. б/н. в ногу.

Правая задняя лапа

Набр. пряжей зеленого цвета 12 в.п. и замкнуть в кольцо
1-3 к.р.: см. левая задняя нога
4-6 к.р.: 2 ст. б/н., удв. 2 п., 3 ст. б/н., 2х 2 п. вм., 1 ст. б/н. = 12 п.
7-10 к.р.: см. левая задняя нога
11 к.р.: когти вязать, как описано в 11 к.р. при вязании левой задней ноги

Передние лапы (2 шт.)

Набр. пряжей зеленого цвета 8 в.п. и замкнуть в кольцо
1-3 к.р.: вязать 8 ст. б/н.
4-5 к.р.: удв. 1 п., 1 ст. б/н., 2х 2 п. вм., 1 ст. б/н., удв. 1 п. = 8 п.
6-7 к.р.: 2х 2 п. вм., 1 ст. б/н., удв. 2 п., 1 ст. б/н. = 8 п.
8-9 к.р.: удв. 1 п., 1 ст. б/н., 2х 2 п. вм., 1 ст. б/н., удв. 1 п. = 8 п.
10 к.р.: когти вязать, как описано в 11 к.р. при вязании левой задней ноги

Сборка

Лапы набить ватой и пришить к туловищу, пришить нижнюю челюсть, а к ней зубы. Глаза вышить.

РАЗМЕР
12 см

МАТЕРИАЛ
◆ Крючок № 2,5
◆ Вата для наполнения игрушек

РУСАЛКА
◆ Пряжа телесного и салатового цветов, 50 г
◆ Металлизированная пряжа золотого цвета, 25 г
◆ Нитки мулине красного и зеленого цветов, остатки

НЕПТУН
◆ Пряжа телесного, коричневого и каштанового цветов, остатки
◆ Металлизированная пряжа золотого цвета, 25 г
◆ Пушистая пряжа тыквенного цвета, остатки
◆ Нитки мулине красного и коричневого цветов, остатки
◆ Синельная проволока темно-коричневого цвета

Русалка и Нептун

→ привет из подводного мира

Русалка

Голова, туловище и хвост

Набр. пряжей телесного цвета 2 в.п.

1 к.р.: провязать 5 ст. б/н. во 2-ю в.п.

2 к.р.: удв. каждую п. = 10 п.

3 к.р.: удв. каждую 2 п. = 15 п.

4 к.р.: удв. каждую 3 п. = 20 п.

5-6 к.р.: вязать 20 ст. б/н.

7 к.р.: провязать каждую 3 и 4 п. вм. = 15 п.

8 к.р.: провязать каждую 2 и 3 п. вм. = 10 п., набить ватой

9 к.р.: провязать по 2 п. вм. = 5 п.

10 к.р.: удв. каждую п. = 10 п.

11 к.р.: удв. каждую п. = 20 п.

12 к.р.: 5 ст. б/н., удв. 1 п., 9 ст. б/н., удв. 1 п., 4 ст. б/н. = 22 п.

13-16 к.р.: вязать 22 ст. б/н. далее вязать пряжей салатового и золотого цветов

17-18 к.р.: вязать 22 ст. б/н.

19 к.р.: 4 ст. б/н., 2 п. вм., 9 ст. б/н., 2 п. вм., 5 ст. б/н. = 20 п.

20 к.р.: 4 ст. б/н., 2 п. вм., 8 ст. б/н., 2 п. вм., 4 ст. б/н. = 18 п.

21 к.р.: 3 ст. б/н., 2 п. вм., 7 ст. б/н., 2 п. вм., 4 ст. б/н. = 16 п.

22 к.р.: 3 ст. б/н., 2 п. вм., 6 ст. б/н., 2 п. вм., 3 ст. б/н. = 14 п.

23 к.р.: 2 ст. б/н., 2 п. вм., 5 ст. б/н., 2 п. вм., 3 ст. б/н. = 12 п.

24 к.р.: 2 ст. б/н., 2 п. вм., 4 ст. б/н., 2 п. вм., 2 ст. б/н. = 10 п.

25 к.р.: 1 ст. б/н., 2 п. вм., 3 ст. б/н., 2 п. вм., 2 ст. б/н. = 8 п.

26 к.р.: 1 ст. б/н., 2 п. вм., 2 ст. б/н., 2 п. вм., 1 ст. б/н. = 6 п., набить ватой, провязать 1 п/ст. б/н. в следующий ст. б/н.

Хвостовой плавник

Работу сложить вдвое швом назад, вязать за переднюю и заднюю стенку одновременно.

1 р.: связать 2 ст. б/н.

2 р.: удв. каждую п. = 4 п.

3 р.: удв. 1 п., 2 ст. б/н., удв. 1 п. = 6 п.

4 р.: удв. 1 п., 4 ст. б/н., удв. 1 п. = 8 п.

5 р.: удв. 1 п., 1 ст. б/н., 2 вм., повернуть работу, провязать по 2 п. вм. = 2 п.

С середины 5 р. начать вязать новой нитью: 2 п. вм., 1 ст. б/н., удв. 1 п., повернуть работу, 2х 2 п. вм. = 2 п.

Руки (2 шт.)

Набр. пряжей телесного цвета 2 в.п.

1 к.р.: провязать 4 ст. б/н. во 2-ю в.п.

2 к.р.: 1 ст. б/н, удв. 1 п., 1 ст. б/н, удв. 1 п. = 6 п.

3-7 к.р.: вязать 6 ст. б/н.

Верхняя часть купальника

Набр. пряжи салатового и золотого цветов 2 в.п. и провязать 5 раз 1 ст. б/н. и 2 в.п. во 2-ю в.п., затем набрать 5 в.п. и провязать 5 раз 1 ст. б/н. и 2 в.п. во 2-ю в.п.

Сборка

Руки набить ватой и пришить. Пришить купальник и вышить глаза. Прикрепить волосы из пряжи золотого цвета.

Нептун

Голова, туловище и хвост

1-12 к.р.: см. русалка

13-18 к.р.: вязать 22 ст. б/н. далее вязать пряжей коричневого и золотого цветов

19-20 к.р.: вязать 22 ст. б/н.

21 к.р.: 4 ст. б/н., 2 п. вм., 9 ст. б/н., 2 п. вм., 5 ст. б/н. = 20 п.

22 к.р.: 4 ст. б/н., 2 п. вм., 8 ст. б/н., 2 п. вм., 4 ст. б/н. = 18 п.

23 к.р.: 3 ст. б/н., 2 п. вм., 7 ст. б/н., 2 п. вм., 4 ст. б/н. = 16 п.

24 к.р.: 3 ст. б/н., 2 п. вм., 6 ст. б/н., 2 п. вм., 3 ст. б/н. = 14 п.

25 к.р.: 2 ст. б/н., 2 п. вм., 5 ст. б/н., 2 п. вм., 3 ст. б/н. = 12 п.

26 к.р.: 2 ст. б/н., 2 п. вм., 4 ст. б/н., 2 п. вм., 2 ст. б/н. = 10 п.

27 к.р.: 1 ст. б/н., 2 п. вм., 3 ст. б/н., 2 п. вм., 2 ст. б/н. = 8 п., набить ватой

28 к.р.: 1 ст. б/н., 2 п. вм., 2 ст. б/н., 2 п. вм., 1 ст. б/н. = 6 п.

Хвостовой плавник
Провязать над следующей п. 1 п/ст. б/н., работу сложить, вязать за заднюю и переднюю стенку.
1-5 р.: вязать пряжей коричневого и золотого цветов, см. Русалка

Руки (2 шт.)
1-7 к.р.: см. Русалка

Платок
Набр. пряжей каштанового цвета 48 в.п.

1 р.: провязать в 6 п. 1 ст. б/н., затем с каждыми 3 в.п. пропускать 2 п.
2-4 р.: постоянно повт.: 1 п/ст. б/н. в 1 дугу из в.п., 3 в.п.

Корона
Набр. пряжей золотого цвета 24 в.п., замкнуть в кольцо, постоянно повт.: 3 в.п., 2 ст. б/н.

Сборка
Руки набить и пришить к туловищу. Платок надеть и зафиксировать.

Волосы и бороду сделать из пряжи тыквенного цвета и пришить корону. Глаза и рот вышить. Из двух частей проволоки сделать трезубец и прикрепить к руке.

Пират

→ ужас морей

Описание работы

Голова, туловище, штаны и ботинки

Набр. пряжей телесного цвета 2 в.п.

1 к.р.: провязать 5 ст. б/н. во 2-ю в.п.

2 к.р.: удв. каждую п. = 10 п.

3 к.р.: удв. каждую 2 п. = 15 п.

4 к.р.: удв. каждую 3 п. = 20 п.

5-6 к.р.: вязать 20 ст. б/н.

7 к.р.: провязать каждую 3 и 4 п. вм. = 15 п.

8 к.р.: провязать каждую 2 и 3 п. вм. = 10 п., набить ватой

9 к.р.: провязать по 2 п. вм. = 5 п.

чтобы получился полосатый свитер, нужно вязать поочередно пряжей синего и белого цветов

10 к.р.: удв. 5 п. = 10 п.

11 к.р.: удв. каждую 2 п. = 15 п.

12 к.р.: удв. каждую 3 п. = 20 п.

13 к.р.: удв. каждую 4 п. = 25 п.

14-16 к.р.: вязать 25 ст. б/н. далее вязать пряжей песочного цвета

17-19 к.р.: вязать 25 ст. б/н., затем работу разделить на 2 части

20 к.р.: 13 ст. б/н., 2 в.п., 1 п/ст. б/н. в 1 ст. б/н. = 15 п.

21 к.р.: 5 ст. б/н., 2 п. вм., 8 ст. б/н. = 14 п.

22 к.р.: связать 14 ст. б/н.

23 к.р.: повт. 2 раза: 5 ст. б/н., 2 п. вм. = 12 п.

24 к.р.: связать 12 ст. б/н.

25 к.р.: 5 ст. б/н., 2 п. вм., 3 ст. б/н., 2 п. вм. = 10 п.

26 к.р.: связать 10 ст. б/н. далее вязать пряжей черного цвета

27-28 к.р.: вязать 10 ст. б/н.

29 к.р.: вязать только за заднюю стенку, провязать по 2 п. вм. = 5 п.

вторую штанину вязать с середины 20 к.р.:

20 к.р.: 13 ст. б/н., 2 ст. б/н. над новыми в.п. = 15 п.

21-29 к.р.: см. выше

Руки (2 шт.)

Набр. пряжей телесного цвета 2 в.п.

1 к.р.: провязать 4 ст. б/н. во 2-ю в.п.

2 к.р.: удв. каждую 2 п. = 6 п.

чтобы получился полосатый свитер, нужно вязать поочередно пряжей синего и белого цветов

3-7 к.р.: вязать 6 ст. б/н.

Повязка на глаз

Набр. пряжей черного цвета 2 в.п. и провязать 5 ст. б/н. во 2-ю в.п.

Повязка на голову

Набр. пряжей красного цвета 18 в.п., замкнуть в кольцо, затем связать 18 ст. б/н.

Меч

Набр. пряжей черного цвета 2 в.п.

1 к.р.: провязать 4 ст. б/н. во 2-ю в.п.

2 к.р.: связать 4 ст. б/н.

3 к.р.: повт. 2 раза: 2 ст. б/н., 3 в.п., 2 ст. б/н. назад = 8 п.

далее вязать пряжей золотого цвета

4-10 к.р.: вязать 8 ст. б/н., нить закрепить.

Сборка

Волосы сделать из пряжи кофейного цвета. Закрепить повязки на глаз и лоб. Бороду сделать из 6 нитей пряжи кофейного цвета, связав их между собой. Нос вышить 5 стежками из ниток телесного цвета. Пришить меч к руке, наклеить глаз.

РАЗМЕР
10 см

МАТЕРИАЛ

◆ Пряжа телесного, белого, синего, песочного, красного, черного и кофейного цветов, остатки

◆ Металлизированная пряжа золотого цвета, остатки

◆ Половинка деревянной бусинки черного цвета, Ø 4 мм

◆ Крючок № 2,5

◆ Вата для наполнения игрушек

ДОМ И ДВОР

Все, что ползает и бегает в крестьянском доме и по двору: кошки-мышки, гуси, добродушный осел, дикий пони и даже бременские музыканты, — все эти животные прекрасно подойдут как для игр, так и в качестве сувениров или брелков.

Корова

→ вкусное молоко на завтрак

Описание работы

Голова и туловище

Набр. пряжей белого цвета 2 в.п.

1 к.р.: провязать 6 ст. б/н. во 2-ю в.п.

2 к.р.: удв. каждую п. = 12 п.

3 к.р.: удв. каждую 3 п. = 16 п.

4 к.р.: удв. каждую 4 п. = 20 п.

5 к.р.: 9 ст. б/н., удв. 2 п., 9 ст. б/н. = 22 п.

6 к.р.: связать 22 ст. б/н.

7 к.р.: 10 ст. б/н., удв. 2 п., 10 ст. б/н. = 24 п.

8 к.р.: удв. 1 п., 22 ст. б/н., удв. 1 п. = 26 п.

9 к.р.: 11 ст. б/н., 2х 2 п. вм., 11 ст. б/н. = 24 п.

10 к.р.: удв. 1 п., 8 ст. б/н., 2 п. вм., 2 ст. б/н., 2 п. вм., 8 ст. б/н., удв. 1 п. = 24 п.

11 к.р.: удв. 1 п., 10 ст. б/н., 2 п. вм., 10 ст. б/н., удв. 1 п. =25 п.

12 к.р.: удв. 1 п., 11 ст. б/н., 2 п. вм., 10 ст. б/н., удв. 1 п. = 26 п.

13 к.р.: удв. 1 п., повт. 2 раза: 3 ст. б/н., удв. 1 п., затем 8 ст. б/н., удв. 1 п., повт. 2 раза: 3 ст. б/н., удв. 1 п. = 32 п.

14-15 к.р.: вязать 32 ст. б/н.

16 к.р.: удв. 1 п., 30 ст. б/н., удв. 1 п. = 34 п.

17 к.р.: связать 34 ст. б/н.

18 к.р.: 6 ст. б/н., удв. 1 п., 20 ст. б/н., удв. 1 п., 6 ст. б/н. = 36 п.

19-22 к.р.: вязать 36 ст. б/н.

23 к.р.: 2 п. вм., 32 ст. б/н., 2 п. вм. = 34 п.

24 к.р.: 2 п. вм., 30 ст. б/н., 2 п. вм. = 32 п.

25 к.р.: 2 п. вм., 28 ст. б/н., 2 п. вм. = 30 п.

26-28 к.р.: вязать 30 ст. б/н.

29 к.р.: провязать каждую 5 и 6 п. вм. = 25 п.

30 к.р.: провязать каждую 4 и 5 п. вм. = 20 п.

31 к.р.: провязать каждую 3 и 4 п. вм. = 15 п.

32 к.р.: jпровязать каждую 2 и 3 п. вм. = 10 п., набить ватой

33 к.р.: провязать по 2 в. вм. = 5 п.

Передние ноги (2 шт.)

Набр. пряжей песочного цвета 2 в.п.

1 к.р.: провязать 6 ст. б/н. во 2-ю в.п.

2 к.р.: вязать только за заднюю стенку, связать 6 ст. б/н.

далее вязать пряжей белого цвета

3-5 к.р.: вязать 6 ст. б/н.

6 к.р.: удв. 1 п., 5 ст. б/н. = 7 п.

7 к.р.: связать 7 ст. б/н.

8 к.р.: удв. 1 п., 6 ст. б/н. = 8 п.

9 к.р.: связать 8 ст. б/н.

10 к.р.: удв. 1 п., 7 ст. б/н. = 9 п.

11 к.р.: связать 9 ст. б/н.

Задние ноги (2 шт.)

Набр. пряжей песочного цвета 2 в.п.

1-4 к.р.: вязать как переднюю ногу

5 к.р.: удв. 1 п., 5 ст. б/н. = 7 п.

6 к.р.: связать 7 ст. б/н.

7 к.р.: удв. 1 п., 5 ст. б/н., удв. 1 п. = 9 п.

8 к.р.: связать 9 ст. б/н.

9 к.р.: удв. 1 п., 7 ст. б/н., удв. 1 п. = 11 п.

10 к.р.: связать 11 ст. б/н.

11 к.р.: удв. 1 п., 9 ст. б/н., удв. 1 п. = 13 п.

Вымя

Набр. пряжей нежно-розового цвета 2 в.п.

1 к.р.: провязать 5 ст. б/н. во 2-ю в.п.

2 к.р.: удв. 1 п., повт. 2 раза: 1 ст. б/н., удв. 1 п. = 8 п.

3 к.р.: повт. 4 раза: удв. 1 п., 1 ст. б/н. = 12 п.

4 к.р.: удв. каждую 3 п. = 16 п.

5 к.р.: связать 16 ст. б/н.

Соски (4 шт.)

Набр. пряжей нежно-розового цвета 2 в.п.

1 к.р.: провязать 4 ст. б/н. во 2-ю в.п.

2-3 к.р.: вязать 4 ст. б/н.

Уши (2 шт.)

Набр. пряжей черного цвета 3 в.п.

1 р.: связать 2 ст. б/н.

2 р.: удв. 1 п., 1 ст. б/н. = 3 п.

3 р.: удв. 1 п., 2 ст. б/н. = 4 п.

4 р.: провязать по 2 п. вм. = 2 п.

Пятнышко 1

Набр. пряжей черного цвета 4 в.п.

1 р.: связать 3 ст. б/н.

2 р.: удв. 1 п., 2 ст. б/н. = 4 п.

3 р.: 3 ст. б/н., удв. 1 п. = 5 п.

4 р.: 4 ст. б/н., удв. 1 п. = 6 п.

5 р.: удв. 1 п., 5 ст. б/н. = 7 п.

6 р.: 6 ст. б/н., удв. 1 п. = 8 п.

7 р.: 2 п. вм., 4 ст. б/н., 2 п. вм. = 6 п.

8 р.: связать 6 ст. б/н.

9 р.: 2 п. вм., 2 ст. б/н., 2 п. вм. = 4 п.

РАЗМЕР

12 см

МАТЕРИАЛ

◆ Пряжа белого цвета, 50 г

◆ Пряжа черного, нежно-розового и песочного цветов, остатки

◆ 2 половинки деревянной бусинки черного цвета, Ø 4 мм

◆ Крючок № 2,5

◆ Вата для наполнения игрушек

ПРОДОЛЖЕНИЕ
Корова

10 р.: 1 ст. б/н., 2 п. вм., 1 ст. б/н. = 3 п.

Пятнышко 2
Набр. пряжей черного цвета 3 в.п.
1 р.: связать 2 ст. б/н.
2 р.: удв. 2 п. = 4 п.
3 р.: удв. 1 п., 2 ст. б/н., удв 1 п. = 6 п.
4 р.: удв. 1 п., 3 ст. б/н., 2 п. вм. = 6 п.
5 р.: 2 п.вм., 3 ст. б/н., удв. 1 п. = 6 п.
6 р.: удв. 1 п., 3 ст. б/н., удв. 1 п. = 7 п.
7 р.: 2 п. вм., 3 ст. б/н., 2 п. вм. = 5 п.
8 р.: 2 п. вм., 1 ст. б/н., 2 п. вм. = 3 п.

Пятнышко 3
Набр. пряжей черного цвета 4 в.п.
1 р.: связать 3 ст. б/н.
2 р.: 2 ст. б/н., удв. 1 п. = 4 п.
3 р.: удв. 1 п., 2 ст. б/н., удв. 1 п. = 6 п.
4 р.: удв. 1 п., 4 ст. б/н., удв. 1 п. = 8 п.
5 р.: удв. 1 п., 6 ст. б/н., удв. 1 п. = 10 п.
6 р.: 8 ст. б/н., 2 п. вм. = 9 п.
7 р.: 2 п. вм., 7 ст. б/н. = 8 п.
8 р.: 6 ст. б/н., 2 п. вм. = 7 п.
9 р.: 2 п. вм., 4 ст. б/н., удв. 1 п. = 7 п.
10 р.: связать 7 ст. б/н.
11 р.: 2 п. вм., 3 ст. б/н., 2 п. вм. = 5 п.
12 р.: связать 5 ст. б/н.
13 р.: 2 п. вм., 1 ст. б/н., 2 п. вм. = 3 п.
14 р.: 2 п. вм., 1 ст. б/н. = 2 п.

Пятнышко 4
Набр. пряжей черного цвета 3 в.п.
1-2 р.: вязать 2 ст. б/н.
3 р.: удв. 1 п., 1 ст. б/н. = 3 п.
4 р.: 2 ст. б/н., удв. 1 п. = 4 п.
5 р.: связать 4 ст. б/н.
6 р.: провязать по 2 п. вм. = 2 п.

7-8 р.: связать 2 ст. б/н.
9 р.: 2 п. вм. = 1 п.

Пятнышко 5
Набр пряжей черного цвета 3 в.п.
1 р.: связать 2 ст. б/н.
2 р.: удв. 1 п., 1 ст. б/н. = 3 п.
3 р.: удв. 1 п., 2 ст. б/н. = 4 п.
4 р.: 2 п. вм., 1 ст. б/н., удв. 1 п. = 4 п.
5 р.: удв. 1 п., 2 ст. б/н., удв. 1 п. = 6 п.
6 р.: 2 п. вм., 2 ст. б/н., 2 п. вм. = 4 п.
7 р.: 2 п. вм., 2 ст. б/н. = 3 п.
8 р.: связать 3 ст. б/н.
9 р.: 2 ст. б/н., удв. 1 п. = 4 п.
10 р.: удв. 1 п., 1 ст. б/н., 2 п. вм. = 4 п.
11 р.: провязать по 2 п. вм. = 2 п.

Пятнышко 6
Набр. пряжей черного цвета 3 в.п.
1 р.: связать 2 ст. б/н. = 2 п.
2 р.: удв. 1 п., 1 ст. б/н. = 3 п.
3 р.: удв. 1 п., 2 ст. б/н. = 4 п.
4 р.: связать 4 ст. б/н.
5 р.: провязать по 2 п. вм. = 2 п.

Пятнышко 7
Набр. пряжей черного цвета 3 в.п.
1-2 р.: вязать 2 ст. б/н.
3 р.: удв. 1 п., 1 ст. б/н. = 3 п.
4 р.: 1 ст. б/н., 2 п. вм. = 2 п.
5 р.: 2 п. вм. = 1 п.

Пятнышко 8
Набр. пряжей черного цвета 4 в.п.
1 р.: связать 3 ст. б/н.
2 р.: 1 ст. б/н., 2 п. вм. = 2 п.
3 р.: связать 2 ст. б/н. = 2 п.
4 р.: 2 п. вм. = 1 п.
5 р.: утроить 1 п. = 3 п.
6 р.: удв. 1 п., 1 ст. б/н., удв. 1 п. = 5 п.
7 р.: удв. 1 п., 2 ст. б/н., 2 п. вм. = 5 п.
8 р.: 2 п. вм., 1 ст. б/н., 2 п. вм. = 3 п.
9 р.: 3 п. вм. = 1 п.

Пятнышко 9
Набр. пряжей черного цвета 3 в.п.
1 р.: связать 2 ст. б/н.
2 р.: удв. 1 п., 1 ст. б/н. = 3 п.
3 р.: 2 ст. б/н., удв. 1 п. = 4 п.
4 р.: провязать по 2 п. вм. = 2 п.
5 р.: 2 п. вм. = 1 п.

Пятнышко 10
Набр. пряжей черного цвета 3 в.п.
1 р.: связать 2 ст. б/н.
2 р.: удв. 2 п. = 4 п.
3 р.: 1 ст. б/н., 2 п. вм., 1 ст. б/н. = 3 п.
4 р.: 3 п. вм. = 1 п.

Рога (2 шт.)
Набр. пряжей песочного цвета 4 в.п., замкнуть в кольцо
1-2 к.р.: вязать 4 ст. б/н.

Мордочка
Набр. пряжей нежно-розового цвета 4 в.п., провязать 3 ст. б/н. в верхний и 3 ст. б/н. в нижний края цепочки из в.п. = 6 п. Замкнуть в к.р.

Хвост
Набр. пряжей белого цвета 10 в.п. и связать 9 ст. б/н.

Сборка
Ноги набить ватой и пришить к туловищу. Вымя набить ватой, пришить, затем пришить к нему соски. К голове пришить уши и рога. Затем пришить хвост. Пришить к голове рыло и наклеить глаза. Пришить пятна и вышить песочным цветом две ноздри.

Описание на с. 62–65

Осел, собака,
кошка и петух

Осел

→ берет всю ношу на себя

РАЗМЕР

12 см

МАТЕРИАЛ

◆ Пряжа светло-
серого цвета,
50 г

◆ Пряжа черно-
го цвета,
остатки

◆ 2 глаза для
игрушек,
Ø 8 мм

◆ Крючок № 2,5

◆ Вата для
наполнения
игрушек

Описание работы

см. Зебра на стр. 8
вязать двойной ниткой

Туловище и уши
вязать пряжей светло-серого
цвета

Передние ноги (2 шт.)
1-3 к.р.: вязать пряжей черного цвета
4-9 к.р.: вязать пряжей
светло-серого цвета

Задние ноги (2 шт.)
1-3 к.р.: вязать пряжей черного цвета
4-9 к.р.: вязать пряжей
светло-серого цвета

Хвост
Пряжей светло-серого цвета
связать 8 в.п.

Сборка
Ноги набить ватой и пришить
к туловищу. Пришить хвост,
наклеить глаза. Для гривы и
кончика хвоста использовать
пряжу черного цвета.

Собака

→ верный попутчик

РАЗМЕР
8 см

МАТЕРИАЛ

Пряжа бежевого
цвета, 50 г

Помпон черного
цвета, Ø 6 мм

2 глаза для игру-
шек, Ø 4 мм

Шелковая лента
зеленого цвета,
остаток

Крючок № 2,5

Вата для напол-
нения игрушек

Кольцо для клю-
чей

Описание работы

Голова и туловище
Набр. пряжей бежевого цвета 2 в.п.
1 к.р.: провязать 5 ст. б/н. во 2-ю в.п.
2 к.р.: удв. каждую п. = 10 п.
3-5 к.р.: связать 10 ст. б/н.
6 к.р.: 4 ст. б/н., удв. 2 п., 4 ст. б/н. =
12 п.
7 к.р.: 5 ст. б/н., удв. 2 п., 5 ст. б/н. =
14 п.
8-9 к.р.: вязать 14 ст. б/н.
10-12 к.р.: удв. 1 п., 4 ст. б/н., 2х 2 п.
вм., 4 ст. б/н., удв. 1 п. = 14 п.
13 к.р.: удв. 1 п., 12 ст. б/н., удв. 1 п.
= 16 п.
14 к.р.: удв. 1 п., 14 ст. б/н., удв. 1 п.
= 18 п.
15 к.р.: 1удв. 1 п., 16 ст. б/н., удв. 1 п.
= 20 п.

16-21 к.р.: вязать 20 ст. б/н.
22 к.р.: провязать каждую 3 и 4 п. вм.
= 16 п.
23 к.р.: провязать каждую 2 и 3 п. вм.
= 12 п., набить ватой
24 к.р.: провязать по 2 п. вм. = 6 п.

Ноги (4 шт.)
Набр. пряжей бежевого цвета 2 в.п.
1 к.р.: провязать 4 ст. б/н. во 2-ю в.п.
= 4 п.
2 к.р.: удв. каждую п. = 8 п.
3-7 к.р.: вязать 8 ст. б/н.

Уши (2 шт.)
Набр. пряжей бежевого цвета 3 в.п.
1-3 р.: вязать 2 ст. б/н.
4 р.: удв. каждую п. = 4 п.
5 р.: провязать по 2 п. = 2 п.
6 р.: 2 п. вм. = 1 п.

Хвост
Набр. пряжей бежевого цвета 2 в.п.
1 к.р.: провязать 4 ст. б/н. во 2-ю в.п.
2-6 к.р.: вязать 4 ст. б/н.

Сборка
Ноги набить ватой и пришить к туловищу. Пришить уши и хвост. Наклеить
глаза и помпон в качестве носа. Ленточку обвязать вокруг шеи и закрепить на ней кольцо для ключей.

Кошка

→ очаровательное и ласковое животное

Описание работы

Голова

Набр. пряжей белого цвета 2 в.п.

1 к.р.: провязать 5 ст. б/н. во 2-ю в.п.
2 к.р.: удв. каждую п. = 10 п.
3 к.р.: удв. каждую 2 п. = 15 п.
4-5 к.р.: вязать 15 ст. б/н.
6-7 к.р.: удв. 1 п., 4 ст. б/н., 2 п. вм.,
1 ст. б/н., 2 п. вм., 4 ст. б/н., удв. 1 п.
= 15 п.
8 к.р.: удв. каждую 3 п. = 20 п.
9 к.р.: удв. каждую 5 п. = 24 п.
10-13 к.р.: вязать 24 ст. б/н.
14 к.р.: провязать каждую 5 и 6 п. вм.
= 20 п.
15 к.р.: провязать каждую 4 и 5 п. вм.
= 16 п.

16 к.р.: провязать каждую 3 и 4 п. вм.
= 12 п.
17 к.р.: провязать каждую 2 и 3 п. вм.
= 8 п., набить ватой

Лапы (4 шт.)

Набр. пряжей черного цвета 2 в.п.
1 к.р.: провязать 5 ст. б/н. во 2-ю в.п.
2 к.р.: связать 5 ст. б/н.
далее вязать пряжей белого цвета
3-5 к.р.: вязать 5 ст. б/н.

Хвост

Набр. пряжей черного цвета 2 в.п.
1 к.р.: провязать 4 ст. б/н. во 2-ю в.п.
2 к.р.: связать 4 ст. б/н.
далее вязать пряжей белого цвета
3-8 к.р.: вязать 4 ст. б/н.

Уши (2 шт.)

Набр. пряжей черного цвета 2 в.п.
1 к.р.: провязать 4 ст. б/н. во 2-ю в.п.
2 к.р.: 1 ст. б/н., удв. 1 п., 1 ст. б/н.,
удв. 1 п. = 6 п.

Сборка

Пришить лапы, уши и хвост. Пришить
усы, сверху наклеить половинку черной бусинки в качестве носа. Приклеить глаза.

РАЗМЕР
7 см

МАТЕРИАЛ
◆ Пряжа белого и черного цветов, остатки
◆ Нитки мулине черного цвета, остатки
◆ 2 глаза для игрушек, ø 3 мм
◆ Половинка черной деревянной бусинки, ø 3 мм
◆ Крючок № 2,5
◆ Вата для наполнения игрушек

Петух и курица

→ за завтраком особенно весело!

РАЗМЕР
7 см

МАТЕРИАЛ
◆ Крючок № 2,5
◆ Вата для наполнения игрушек

ПЕТУХ
◆ Пряжа песочного, коричневого, красного и желтого цветов, остатки
◆ Нитки мулине

темно-коричневого цвета, остатки
◆ Синельная проволока темно-коричневого цвета

КУРИЦА
◆ Пряжа кремового и красного цветов, остатки
◆ Нитки мулине коричневого цвета, остатки

Петух

Голова и туловище
Набр. пряжей песочного цвета 11 в.п.
1 к.р.: провязать 2 ст. б/н. во 2-ю в.п., 8 ст. б/н., удв. 1 п., затем вязать по нижнему краю: удв. 1 п., 8 ст. б/н., удв. 1 п. = 24 п.
2 к.р.: связать 24 ст. б/н.
3 к.р.: удв. 1 п., 9 ст. б/н., 2х 2 п. вм., 9 ст. б/н., удв. 1 п. = 24 п.
4 к.р.: удв. 1 п., 10 ст. б/н., 2 п. вм., 10 ст. б/н., удв. 1 п. = 25 п.
5 к.р.: 12 ст. б/н., 2 п. вм., 11 ст. б/н. = 24 п.
6 к.р.: 2 п. вм., 8 ст. б/н., 2х 2 п. вм., 8 ст. б/н., 2 п. вм. = 20 п.
далее вязать пряжей коричневого цвета
7 к.р.: связать 20 ст. б/н.
8 к.р.: 2 п. вм., 6 ст. б/н., 2х 2 п. вм., 6 ст. б/н., 2 п. вм. = 16 п.
9 к.р.: 16 ст. б/н.
10 к.р.: 2 п. вм., 4 ст. б/н., 2х 2 п. вм., 4 ст. б/н., 2 п. вм. = 12 п.
11 к.р.: связать 12 ст. б/н.

12 к.р.: 2 п. вм., 1 ст. б/н., 3х 2 п. вм., 1 ст. б/н., 2 п. вм. = 7 п., набить ватой

Перья для хвоста (6 шт.)
Набр. 3 раза пряжей коричневого цвета и 3 раза пряжей песочного цвета 11 в.п. и связать по 10 ст. б/н.

Гребень
Набр. пряжей красного цвета 6 в.п. и провязать 1 п/ст. б/н. в 4-ю в.п., 3 в.п., 1 п/ст. б/н. в 5-ю в.п., 3 в.п., 1 п/ст. б/н. в 6-ю в.п.

Бородка (2 шт.)
Набр. пряжей красного цвета 3 в.п. и связать 2 ст. б/н.

Крылья (2 шт.)
Набр. пряжей песочного цвета 4 в.п.
1-2 р.: вязать 3 ст. б/н.
3 р.: 3 п. вм. = 1 п.

Сборка
Пришить гребень и крылья. Вышить клюв пряжей желтого цвета 2 стежками. Пришить бородку и вышить глаза. Пришить перья хвоста. Из проволоки сделать ножки и прикрепить к туловищу.

Курица

Голова и туловище
Набр. пряжей кремового цвета 11 в.п.
1-12 к.р.: см. Петух, только все выполнить в кремовом цвете
13 к.р.: голову и туловище набить ватой, затем работу положить и связать одновременно за переднюю и заднюю петлю 3 ст. б/н.
14 к.р.: вязать только за переднюю стенку, повт. 3 раза: 5 в.п., п/ст. б/н., затем аналогично работать с задней стенкой.

Гребень и крылья
см. Петух

Сборка
Сшить, как петуха, только клюв вышить красным цветом.

Свинка с клевером

→ милый сувенир на удачу

РАЗМЕР
Свинка
8 см
Клевер
4,5 см

МАТЕРИАЛ
◆ Крючок № 2,5

СВИНКА
◆ Пряжа светло-
розового цвета,
50 г
◆ Нитки мулине
розового,
белого и чер-
ного цветов,
остатки
◆ Вата для
наполнения
игрушек
◆ Ленточка

**ЛИСТ
КЛЕВЕРА**
◆ Пряжа светло-
зеленого цве-
та, остатки
◆ Божья коров-
ка, ø 1,5 см

Свинка

Голова и туловище

Набр. пряжей светло-розового цвета 2 в.п.
1 к.р.: провязать 5 ст. б/н. во 2-ю в.п.
2 к.р.: вязать только за заднюю стенку, связать 5 ст. б/н.
3 к.р.: 2 ст. б/н., удв. 1 п., 2 ст. б/н. = 6 п.
4 к.р.: 2 ст. б/н., удв. 2 п., 2 ст. б/н. = 8 п.
5 к.р.: 2 ст. б/н., удв. 4 п., 2 ст. б/н. = 12 п.
6 к.р.: удв. 1 п., 4 ст. б/н., удв. 2 п., 4 ст. б/н., удв. 1 п. = 16 п.
7 к.р.: связать 16 ст. б/н.
8 к.р.: удв. 1 п., 14 ст. б/н., удв. 1 п. = 18 п.
9 к.р.: 2 п. вм., 5 ст. б/н., 2х 2 п. вм., 5 ст. б/н., 2 п. вм. = 14 п.
10 к.р.: 6 ст. б/н., 2 п. вм., 6 ст. б/н. = 13 п.
11 к.р.: 6 ст. б/н., удв. 1 п., 6 ст. б/н. = 14 п.
12 к.р.: 3 ст. б/н., удв. 1 п., 6 ст. б/н., удв. 1 п., 3 ст. б/н. = 16 п.
13 к.р.: 7 ст. б/н., удв. 2 п., 7 ст. б/н. = 18 п.
14 к.р.: 4 ст. б/н., удв. 1 п., 8 ст. б/н., удв. 1 п., 4 ст. б/н. = 20 п.
15 к.р.: 4 ст. б/н., удв. 1 п., 10 ст. б/н., удв. 1 п., 4 ст. б/н. = 22 п.
16-19 к.р.: вязать 22 ст. б/н.
20 к.р.: 9 ст. б/н., 2х 2 п. вм., 9 ст. б/н. = 20 п.
21 к.р.: провязать каждую 4 и 5 п. вм. = 16 п.

22 к.р.: провязать каждую 3 и 4 п. вм. = 12 п.
23 к.р.: провязать каждую 2 и 3 п. вм. = 8 п., набить ватой
24 к.р.: провязать по 2 п. вм. = 4п.

Уши (2 шт.)

Набр. пряжей светло-розового цвета 5 в.п.
1-3 р.: связать 4 ст. б/н.
4 р.: провязать по 2 п. вм. = 2.п.
5 р.: 2 п. вм. = 1 п.

Ноги (4 шт.)

Набр. пряжей светло-розового цвета 2 в.п.
1 к.р.: провязать 5 ст. б/н. во 2-ю в.п.
2 к.р.: вязать только за заднюю стенку, 5 ст. б/н.
3 к.р.: связать 5 ст. б/н.
4 к.р.: удв. 1 п., 3 ст. б/н., удв. 1 п. = 7 п.
5 к.р.: связать 7 ст. б/н.
6 к.р.: удв. 1 п., 5 ст. б/н., удв. 1 п. = 9 п.

Хвост

Набр. пряжей светло-розового цвета 7 в.п., провязать 1 ст. б/н. во 2-ю в.п., 2 ст. б/н. в 3-ю в.п., затем 4 ст. б/н. = 7 п.

Сборка

Набить ноги ватой и пришить к туловищу. Пришить уши и хвост. Вышить ноздри и глаза. Ленточку повязать вокруг шеи.

Лист клевера

Набр. пряжей светло-зеленого цвета 2 в.п.
1 к.р.: во 2-ю в.п. провязать 4 раза: 1 ст. б/н., 3 в.п.
2 к.р.: провязать в каждую дугу из в.п.: 1 ст. б/н., 1 п/ст., 1 ст. с/н., 1 п/ст., 1 ст. б/н.
3 к.р.: на каждую дугу: 1 п/ст., 1 ст. б/н., 1 п/ст., в ст. с/н. предыдущего р. 1 ст. с/н., 1 ст. с 2/н., 1 ст. с/н., далее вязать 1 п/ст., 1 п/ст. б/н. Закончить 1 п/ст. б/н.

Стебель

Набр. 7 в.п. и связать 6 ст. б/н.

Сборка

Приклеить божью коровку и пришить листок клевера к передней ноге свинки.

Лошадь и ослик

→ лучшие друзья

РАЗМЕР
Лошадь 9 см
Ослик 8 см

**МАТЕРИАЛ
ЛОШАДЬ**
◆ Пряжа песочного
цвета, 50 г
◆ Пряжа кремово-
го цвета, остатки
◆ Пушистая пряжа
телесного цвета,
остатки

◆ Нитки мулине
коричневого
цвета, остатки
◆ Крючок № 2,5
◆ Вата для напол-
нения игрушек

ОСЛИК
см. Осел на
стр. 62

Лошадь

см. Осел на стр. 62, работать с
одной нитью

Туловище и уши
Вязать пряжей песочного цвета

Передние ноги (2 шт.)
1-2 к.р.: вязать пряжей кремового цвета
3-9 к.р.: вязать пряжей песочного цвета

Задние ноги (2 шт.)
1-2 к.р.: вязать пряжей кремового цвета
3-9 к.р.: вязать пряжей песочного цвета

Сборка
Ноги набить ватой и пришить к
туловищу. Пришить уши, вышить
глаза и ноздри. Хвост и гриву с
прямым пробором сделать из
пряжи телесного цвета, прикрепить челку. Придать необходи-
мую форму гриве и хвосту.

Ослик

см. Осел на стр. 62, работать
только с одной нитью.

Заяц

→ **с морковкой**

Заяц

Голова и туловище

Набр. пряжей белого цвета 2 в.п.

1 к.р.: провязать 5 ст. б/н. во 2-ю в.п.

2 к.р.: удв. каждую п. = 10 п.

3 к.р.: удв. каждую 2 п. = 15 п.

4-5 к.р.: вязать 15 ст. б/н.

6 к.р.: 2 п. вм., 3 ст. б/н., 2 п. вм., 1 ст. б/н., 2 п. вм., 3 ст. б/н., 2 п. вм. = 11 п.

7 к.р.: удв. 1 п., 3 ст. б/н., удв. 3 п., 3 ст. б/н., удв. 1 п. = 16 п.

8 к.р.: удв. каждую 4 п. = 20 п.

9 к.р.: 5 ст. б/н., повт. 3 раза: удв. 1 п., 3 ст. б/н., затем удв. 1 п., 2 ст. б/н. = 24 п.

10 к.р.: 5 ст. б/н., повт. 4 раза: удв. 1 п., 3 ст. б/н., затем удв. 1 п., 2 ст. б/н. = 29 п.

11-12 к.р.: вязать 29 ст. б/н.

13 к.р.: 27 ст. б/н., 2 п. вм. = 28 п.

14 к.р.: провязать каждую 3 и 4 п. вм. = 21 п.

15 к.р.: провязать каждую 2 и 3 п. вм. = 14 п.

16 к.р.: провязать по 2 п. вм. = 7 п., набить ватой

17 к.р.: 3х 2 п. вм., 1 ст. б/н. = 4 п.

Уши (2 шт.)

Набр. пряжей белого цвета 6 в.п., замкнуть в кольцо

1-3 к.р.: вязать 6 ст. б/н.

4 к.р.: 2 п. вм., 1 ст. б/н., 2 п. вм., 1 ст. б/н. = 4 п.

5 к.р.: связать 4 ст. б/н.

Передние лапы (2 шт.)

Набр. пряжей белого цвета 2 в.п.

1 к.р.: провязать 4 ст. б/н. во 2-ю в.п.

2-4 к.р.: вязать 4 ст. б/н.

Задние лапы (2 шт.)

Набр. пряжей белого цвета 2 в.п.

1 к.р.: провязать 5 ст. б/н. во 2-ю в.п.

2-5 к.р.: вязать 5 ст. б/н.

Морковка

Набр. пряжей оранжевого цвета 2 в.п.

1 к.р.: провязать 8 ст. б/н. во 2-ю в.п.

2-3 к.р.: связать 8 ст. б/н.

4 к.р.: 2 п. вм., 2 ст. б/н., 2 п. вм., 2 ст. б/н. = 6 п.

5-6 к.р.: связать 6 ст. б/н., набить ватой

7 к.р.: провязать по 2 п. вм. = 3 п.

Ботва (3 шт.)

Пряжей салатового цвета связать 14 в.п.

Сборка

Задние лапы немного набить ватой и пришить к туловищу, затем набить передние лапы и тоже пришить. Помпон пришить в качестве хвоста. Пришить к голове уши. Нос вышить стежками в форме Х и протянуть усы. Наклеить глаза. 3 стебелька ботвы наполовину протянуть через верхушку морковки.

РАЗМЕР

Заяц 7 см

Морковь 6 см

МАТЕРИАЛ

- Пряжа белого, оранжевого и салатового цветов, остатки
- Нитки мулине коричневого цвета, остатки
- 2 глаза для кукол, ø 3 мм
- Помпон белого цвета, ø 1,5 мм
- Крючок № 2,5
- Вата для наполнения игрушек

Овца и ворон

→ блеяние овец

РАЗМЕР
Овца 8 см
Ворон 5 см

МАТЕРИАЛ
◆ Крючок № 2,5
◆ Вата для
наполнения
игрушек

ОВЦА
◆ Пряжа
кремового
цвета, остатки
◆ Пушистая
пряжа белого
цвета, остатки
◆ Нитки мулине
коричневого
цвета, остатки

ВОРОН
◆ Пряжа
черного и
оранжевого
цветов,
остатки
◆ Синельная
проволока
оранжевого
цвета
◆ 2 глаза для
кукол, ø 3 мм

Овца

Голова и туловище
Набр. пряжей кремового
цвета 2 в.п.
1 к.р.: провязать 6 ст. б/н. во
2-ю в.п.
2 к.р.: 2 ст. б/н., удв. 2 п.,
2 ст. б/н = 8 п.
3 к.р.: 3 ст. б/н., удв. 2 п., 3 ст.
б/н. = 10 п.
4 к.р.: 4 ст. б/н., удв. 2 п., 4 ст.
б/н. = 12 п.
5 к.р.: связать 12 ст. б/н.
далее вязать пушистой пряжей белого цвета
6-9 к.р.: удв. 1 п., 3 ст. б/н.,
2х 2 п. вм., 3 ст. б/н., удв. 1 п.
= 12 п.
10 к.р.: удв. каждую 3 п. =
16 п.
11 к.р.: удв. каждую 4 п. =
20 п.
12 к.р.: удв. каждую 5 п. =
24 п.
13-15 к.р.: вязать 24 ст. б/н.
16 к.р.: провязать каждую
5 и 6 п. вм. = 20 п.
17 к.р.: провязать каждую 4 и
5 п. вм. = 16 п.
18 к.р.: провязать каждую
3 и 4 п. вм. = 12 п., набить
ватой
19 к.р.: провязать по 2 п. вм.
= 6 п., нить закрепить.

Уши (2 шт.)
Набр. пряжей кремового
цвета 3 в.п.
1-2 р.: вязать 2 ст. б/н.
3 р.: 2 п. вм. = 1 п.

Ноги (4 шт.)
Набр. пряжей кремового
цвета 2 в.п.
1 к.р.: провязать 4 ст. б/н. во
2-ю в.п.
2 к.р.: 1 ст. б/н., удв. 1 п.,
1 ст. б/н., удв. 1 п. = 6 п.
3-4 к.р.: вязать 6 ст. б/н.

Хвост
Набр. пряжей кремового
цвета 5 в.п. и связать 4 ст.
б/н.

Сборка
Ноги набить ватой и пришить
к туловищу. Пришить уши и
хвост. Глаза вышить.

Ворон

Голова и туловище
Набр. пряжей черного цвета
4 в.п.
1 к.р.: провязать 2 ст. б/н. во
2-ю в.п., 1 ст. б/н. в 3-ю в.п.,
2 ст. б/н. в 4-ю в.п. Далее
вязать по нижнему краю
цепочки из в.п. и провязать
2 ст. б/н. в 1-ю в.п., 1 ст. б/н.
во 2-ю в.п., 2 ст. б/н. в 3-ю
в.п. = 10 п.
2-3 к.р.: вязать 10 ст. б/н.
4 к.р.: 7 в.п., 6 ст. б/н. назад,
далее продолжать вязать
голову: 4 ст. б/н., 2 п. вм., 4
ст. б/н., далее вязать по нижнему краю цепочки из в.п.,
при этом: 5 ст. б/н., в следующую п. 4 ст. б/н. = 24 п.
5 к.р.: 2 п. вм., 8 ст. б/н., 2 п.
вм., 8 ст. б/н., 2х 2 п. вм. =
20 п.

6 к.р.: 8 ст. б/н., 2 п. вм.,
8 ст. б/н., 2 п. вм. = 18 п.
7 к.р.: 7 ст. б/н., 2 п. вм.,
7 ст. б/н., 2 п. вм. = 16 п.
8 к.р.: 2 п. вм., 4 ст. б/н., 2х 2
п. вм., 4 ст. б/н., 2 п. вм. =
12 п.
9 к.р.: 2 п. вм., 2 ст. б/н., 2х 2
п. вм., 2 ст. б/н., 2 п. вм. =
8 п.

Клюв
Набр. пряжей оранжевого
цвета 5 в.п. и связать 4 ст.
б/н.

Сборка
Набить туловище ватой и
зашить. Клюв согнуть пополам, края сшить между собой
и присоединить к голове. Из
проволоки сделать лапы и
прикрепить к туловищу.
Наклеить глаза.

Гусь

→ актуально

Описание работы

Клюв и туловище

Набр. пряжей желтого цвета 2 в.п.

1 к.р.: провязать 4 ст. б/н. во 2-ю в.п.

2 к.р.: связать 4 ст. б/н.

далее вязать пряжей белого цвета

3 к.р.: 1 ст. б/н., удв. 2 п., 1 ст. б/н. = 6 п.

4 к.р.: 1 ст. б/н., удв. 4 п., 1 ст. б/н. = 10 п.

5 к.р.: 3 ст. б/н., удв. 4 п., 3 ст. б/н. = 14 п.

6-7 к.р.: вязать 14 ст. б/н.

8 к.р.: 5 ст. б/н., 2х 2 п. вм., 5 ст. б/н. = 12 п.

9 к.р.: 2 п. вм., 3 ст. б/н., 2 п. вм., 3 ст. б/н., 2 п. вм. = 9 п.

10 к.р.: связать 9 ст. б/н.

11 к.р.: удв. 1 п., 3 ст. б/н., удв. 1 п., 3 ст. б/н., удв. 1 п. = 12 п.

12 к.р.: удв. каждую 3 п. = 16 п.

13 к.р.: связать 16 ст. б/н.

14 к.р.: удв. каждую 4 п. = 20 п.

15 к.р.: связать 20 ст. б/н.

16 к.р.: удв. каждую 5 п. = 24 п.

17-20 к.р.: вязать 24 ст. б/н.

21 к.р.: провязать каждую 3 и 4 п. вм. = 18 п.

22 к.р.: провязать каждую 2 и 3 п. вм. = 12 п., набить ватой

23 к.р.: провязать по 2 п. вм. = 6 п.

24 к.р.: 2 п/ст. б/н., работу сложить и связать за переднюю и заднюю стенку 3 ст. б/н.

25 к.р.: связать 3 ст. б/н.

26 к.р.: повт. 3 раза: 3 в.п., 1 ст. б/н.

Лапки (2 шт.)

Набр. пряжей желтого цвета 2 в.п.

1 р.: связать 1 ст. б/н.

2 р.: удв. 1 п. = 2 п.

3 р.: связать 2 ст. б/н.

4 р.: провязать в 1-ю п.: 3 в.п., 1 ст. б/н., 3 в.п., во 2-ю п.: 1 ст. б/н., 3 в.п., 1 ст. б/н.

Крылья

Набр. пряжей белого цвета 2 в.п.

1 р.: связать 1 ст. б/н.

2 р.: удв. 1 п. = 2 п.

3 р.: 1 ст. б/н., удв. 1 п. = 3 п.

4 р.: 2 ст. б/н., удв. 1 п. = 4 п.

5 р.: связать 4 ст. б/н.

6 р.: повт. 4 раза: 3 в.п., 1 п/ст. б/н.

Сборка

Пришить лапки и крылья, приклеить глаза.

РАЗМЕР

8 см

МАТЕРИАЛ

◆ Пряжа белого и желтого цветов, остатки

◆ 2 глаза для игрушек, ø 3 мм

◆ Крючок № 2,5

◆ Вата для наполнения игрушек

Мышка

→ наконец можно поиграть...

РАЗМЕР

5 см

МАТЕРИАЛ

- Пряжа светло-серого и нежно-розового цветов, остатки
- Нитки мулине черного цвета, остатки
- Помпон черного цвета, ø 6 мм
- 2 половинки деревянной бусинки черного цвета, ø 5 мм
- Крючок № 2,5
- Вата для наполнения игрушек

Описание работы

Голова и туловище

Набр. пряжей светло-серого цвета 2 в.п.

1 к.р.: провязать 5 ст. б/н. во 2-ю в.п.

2 к.р.: удв. каждую п. = 10 п.

3 к.р.: удв. каждую 2 п. = 15 п.

4 к.р.: удв. каждую 3 п. = 20 п.

5 к.р.: удв. каждую 4 п. = 25 п.

6-10 к.р.: вязать 25 ст. б/н.

11 к.р.: провязать каждую 4 и 5 п. вм. = 20 ст. б/н.

12 к.р.: провязать каждую 3 и 4 п. вм. = 15 п.

13 к.р.: провязать каждую 2 и 3 п. вм. = 10 п., набить ватой

14 к.р.: провязать по 2 п. вм. = 5 п.

Уши (2 шт.)

Набр. пряжей светло-серого цвета 2 в.п.

1 р.: провязать 5 ст. б/н. во 2-ю в.п.

2 р.: удв. каждую п. = 10 п.

3 р.: удв. каждую 2 п. = 15 п.

Внутренняя часть уха (2 шт.)

Набр. пряжей нежно-розового цвета 2 в.п., затем провязать 6 ст. б/н. во 2-ю в.п.

Хвост

Пряжей светло-серого цвета связать 14 в.п.

Сборка

Пришить к уху его внутреннюю часть, пришить готовые уши к туловищу. Пришить хвост и привязать к нему нить нежно-розового цвета. Пришить усы и наклеить помпон в качестве носа, а бусинки вместо глаз.

МИР ФАНТАЗИИ

Фантазия никогда не спит! И вот уже зайчик достает из штанов карманные часы, а клоун взлетает на воздушных шарах. Что общего у красавицы с чудовищем и могут ли пальчиковые куколки подружиться с привидением?..

Мишка и Свинка

→ веселая парочка

Мишка

Голова и туловище

Набр. пряжей сиреневого цвета 2 в.п.

1 к.р.: провязать 6 ст. б/н. во 2-ю в.п.

2 к.р.: удв. каждую п. = 12 п.

3 к.р.: удв. каждую 2 п. = 18 п.

4 к.р.: удв. каждую 3 п. = 24 п.

5-8 к.р.: вязать 24 ст. б/н.

9 к.р.: провязать каждую 2 и 3 п. вм. = 16 п.

10 к.р.: провязать по 2 п. вм. = 8 п.

11 к.р.: связать 8 ст. б/н., набить ватой

12 к.р.: удв. каждую 2 п. = 12 п.

13 к.р.: связать 12 ст. б/н.

14 к.р.: удв. каждую 3 п. = 16 п.

15-17 к.р.: вязать 16 ст. б/н.

18 к.р.: провязать по 2 п. вм. = 8 п., набить ватой

19 к.р.: провязать по 2 п. вм. = 4 п.

Передние лапы

(2 шт.)

Набр. пряжей сиреневого цвета 2 в.п.

1 к.р.: провязать 6 ст. б/н. во 2-ю в.п.

2-8 к.р.: вязать 6 ст. б/н.

Задние лапы (2 шт.)

Набр. пряжей сиреневого цвета 2 в.п.

1 к.р.: провязать 6 ст. б/н. во 2-ю в.п.

2 к.р.: удв. каждую 2 п. = 9 п.

3 к.р.: провязать каждую 2 и 3 п. вм. = 6 п.

4-8 к.р.: вязать 6 ст. б/н.

Ухо (2 шт.)

Набр. пряжей сиреневого цвета 2 в.п.

1 к.р.: провязать 6 ст. б/н. во 2-ю в.п.

2 к.р.: удв. каждую 2 п. = 9 п.

Нос

Набр. пряжей сиреневого цвета 2 в.п.

1 к.р.: провязать 6 ст. б/н. во 2-ю в.п.

2 к.р.: удв. каждую п. = 12 п.

Сборка

Руки и ноги набить ватой и пришить к туловищу. Нос и уши слегка наполнить ватой и пришить к голове. На шею повязать шелковую ленточку и приклеить бусинки вместо глаз.

Свинка

Голову, туловище, руки и ноги вязать из пряжи светло-розового цвета, как у Мишки

Уши (2 шт.)

Набр. пряжей светло-розового цвета 2 в.п.

1 к.р.: провязать 4 ст. б/н. во 2-ю в.п.

2 к.р.: 1 ст. б/н., удв. 1 п., 1 ст. б/н., удв. 1 п. = 6 п.

Пятачок

Набр. пряжей светло-розового цвета 2 в.п.

1 к.р.: провязать 6 ст. б/н. во 2-ю в.п.= 6 п.

2 к.р.: вязать только за заднюю стенку, связать 6 ст. б/н.

Галстук-бабочка

Набр. пряжей черного цвета 4 в.п.

1 р.: провязать 1 ст. б/н., 1 ст. с/н, 1 ст. б/н. во 2-ю в.п., 1 п/ст. б/н. в 3-ю в.п., 1 ст. б/н., 1 ст. с/н., 1 ст. б/н. в 4-ю в.п.

Хвост

Набр. пряжей светло-розового цвета 4 в.п.

1 р.: провязать 3 ст. б/н. во 2-ю в.п., 3 ст. б/н. в 3-ю в.п., 3 ст. б/н. в 4-ю в.п. = 9 п.

Сборка

См. Мишка. К задней части галстука прикрепить нить и повязать бабочку на шею. Наклеить бусинки вместо глаз. Хвост пришить, ноздри вышить.

РАЗМЕР

9 см

МАТЕРИАЛ

◆ Крючок № 2,5

◆ Вата для наполнения игрушек

МИШКА

◆ Пряжа сиреневого цвета, 50 г

◆ 2 половинки деревянной бусинки черного цвета, ø 5 мм

◆ Шелковая ленточка, остатки

СВИНКА

◆ Пряжа светло-розового цвета, 50 г

◆ Пряжа черного цвета, остатки

◆ Нитки мулине розового цвета, остатки

◆ 2 половинки деревянной бусинки черного цвета, ø 4 мм

Доктор и балерина

→ **семейство мышек**

РАЗМЕР
10,5 см

МАТЕРИАЛ
◆ Крючок № 2,5
◆ Вата для наполнения игрушек

ДОКТОР
◆ Пряжа светло-серого цвета, 50 г
◆ Пряжа белого, красного и нежно-розового цветов, остатки
◆ Нитки мулине

черного и красного цветов, остатки
◆ Помпон черного цвета, ø 6 мм
◆ 2 половинки деревянной бусинки черного цвета, ø 4 мм

БАЛЕРИНА
◆ Пряжа светло-серого цвета, 50 г
◆ Пряжа нежно-розового цвета, остатки
◆ Нитки мулине черного цвета,

остатки
◆ Помпон черного цвета, ø 6 мм
◆ 2 половинки деревянной бусинки черного цвета, 4 мм

Доктор

Голова и туловище
Набр. пряжей светло-серого цвета
2 в.п.

1 к.р.: провязать 6 ст. б/н. во 2-ю в.п.
2 к.р.: удв. каждую п. = 12 п.
3 к.р.: удв. каждую 2 п. = 18 п.
4 к.р.: удв. каждую 3 п. = 24 п.
5-6 к.р.: вязать 24 ст. б/н.
7 к.р.: 10 ст. б/н., удв. 4 п., 10 ст. б/н.
= 28 п.
8 к.р.: 13 ст. б/н., удв. 2 п., 13 ст. б/н.
= 30 п.
9 к.р.: повт. 4 раза: 1ст. б/н., 2 п. вм.,
затем 6 ст. б/н., повт. 4 раза: 1 ст.
б/н., 2 п. вм. = 22 п.
10 к.р.: провязать по 2 п. вм. = 11 п.
11 к.р.: 3 ст. б/н., 2х 2 п. вм., 3 ст.
б/н. = 8 п., набить ватой
12 к.р.: удв. каждую 2 п. = 12 п.
13 к.р.: связать 12 ст. б/н.
14 к.р.: удв. каждую 3 п. = 16 п.
15-17 к.р.: вязать 16 ст. б/н.
18 к.р.: провязать по 2 п. вм. = 8 п.,
набить ватой
19 к.р.: провязать по 2 п. вм. = 4 п.

Уши (2 шт.)
Набр. пряжей светло-серого цвета
2 в.п.

1 к.р.: провязать 5 ст. б/н. во 2-ю в.п.
2 к.р.: удв. каждую п. = 10 п.
3 к.р.: удв. каждую 2 п. = 15 п.

Внутренняя часть уха (2 шт.)
Набр. пряжей нежно-розового
цвета 2 в.п., провязать 6 ст. б/н.
во 2-ю в.п.

Хвост
Набр. пряжей светло-серого цвета
13 в.п.

1 р.: провязать 1 ст. б/н. во 2-ю в.п.,
1 ст. б/н. в 3-ю в.п., 1 ст. б/н. в 4-ю
в.п., 2х 2 п. вм., 5 ст. б/н. = 10 п.

Руки (2 шт.)
Набр. пряжей светло-серого цвета
2 в.п.

1 к.р.: провязать 6 ст. б/н. во 2-ю в.п.
2-8 к.р.: вязать 6 ст. б/н.

Ноги (2 шт.)
Набр. пряжей светло-серого цвета 2 в.п.
1 к.р.: провязать 6 ст. б/н. во 2-ю в.п.
2 к.р.: удв. каждую 2 п. = 9 п.
3 к.р.: провязать каждую 2 и 3 вм.
= 6 п.
4-8 к.р.: вязать 6 ст. б/н.

Медицинский халат
Набр. пряжей белого цвета 21 в.п.
1-8 р.: вязать 20 ст. б/н.
9 р.: 3 ст. б/н., 4 в.п., 4 п. пропустить,
6 ст. б/н, 4 в.п., 4 п. пропустить, 3 ст.
б/н. = 20 п.
10 р.: 2 п. вм., 1 ст. б/н., 4 ст. б/н. на
4 в.п., 6 ст. б/н., 4 ст. б/н. на 4 в.п.,
1 ст. б/н., 2 п. вм. = 18 п.

Рукава (2 шт.)
Набр. пряжей белого цвета 11 в.п.
1-5 р.: вязать 10 ст. б/н.

Грелка
Набр. пряжей красного цвета 3 в.п.
1 к.р.: 2 ст. б/н., далее вязать по нижнему краю цепочки из в.п. 2 ст. б/н. =
4п.
2 к.р.: удв. каждую п. = 8 п.
3 к.р.: удв. 1 п., 2 ст. б/н., удв. 2 п.,
2 ст. б/н., удв. 1 п. = 12 п.
4-5 к.р.: вязать 12 ст. б/н.
6 к.р.: 2 п. вм., 2 ст. б/н., 2х 2 п. вм.,
2 ст. б/н., 2 п. вм. = 8 п.
7 к.р.: провязать по 2 п. вм. = 4 п.
8 к.р.: работу сложить и вязать одновременно за заднюю и переднюю
стенки, связать 2 ст. б/н.
9 к.р.: удв. 2 п. = 4 п.

Сборка
К уху прикрепить его внутреннюю
часть и пришить ушки к голове. Руки
и ноги набить ватой и пришить.
Бусинки приклеить вместо глаз. Пришить усы и приклеить помпон в качестве носа. На халате вышить красный
крест, пришить рукава. Надеть халат
на мышонка и закрепить. Вышить черные пуговицы и пришить хвост. К руке
пришить грелку.

Балерина

Голова, туловище, ухо, внутренняя часть уха, хвост и рука
См. Доктор

Ноги (2 шт.)
Набр. пряжей нежно-розового цвета
2 в.п.
1 к.р.: провязать 6 ст. б/н. во 2-ю в.п.
2 к.р.: удв. каждую 2 п. = 9 п.
3 к.р.: провязать каждую 2 и 3 вм.
= 6 п.
далее вязать пряжей светло-серого
цвета

4-8 к.р.: вязать 6 ст. б/н.

Костюм балерины
Набр. пряжей нежно-розового цвета
5 в.п.
1-3 р.: вязать 4 ст. б/н.
4 р.: 4 ст. б/н., набр. 14 новых в.п.,
1 п/ст. б/н. в 1 ст. б/н. = 18 п.
5-7 р.: вязать 18 ст. б/н.
8 р.: в каждую 2 п. повязать по 1 ст.
б/н., 1 ст. с/н., 1 ст. с 2/н., 1 ст. с/н.,
1 ст. б/н.
9 р.: далее вязать за работой и в каждую нетронутую 2 п. предыдущего р.
провязать по 1 ст. б/н., 1 ст. с/н., 1 ст.
с 2/н., 1 ст. с/н., 1 ст. б/н.

Штрипка
Набр. пряжей нежно-розового цвета
3 в.п.
1-3 р.: вязать 2 ст. б/н.

Лямки (2 шт.)
Набр. пряжей нежно-розового цвета
9 в.п.

Сборка
См. Доктор Мышь.
Лямки пришить сверху балетного
костюма, при этом со спины их перекрестить. Пришить штрипку к передней и задней части костюма, создавая
отверстия для ног. Надеть балетный
костюм на мышь и пришить хвост.

Клоун с надувными шарами

→ готовое цирковое представление

РАЗМЕР
Клоун 10,5 см
Надувные шары 6,5 см

МАТЕРИАЛ
- Крючок № 2,5

КЛОУН
- Пряжа светло-серого, телесного, белого, красного и черного цветов, остатки
- Нитки мулине белого и черного цвета, остатки
- Деревянная бусинка красного цвета, ø 7 мм
- Вата для наполнения игрушек

НАДУВНЫЕ ШАРЫ
- Пряжа желтого, оранжевого и красного цветов, остатки
- Магнит

Клоун

Голова и туловище

Набр. пряжей телесного цвета 2 в.п.

1 к.р.: провязать 5 ст. б/н. во 2-ю в.п.

2 к.р.: удв. каждую п. = 10 п.

3 к.р.: удв. каждую 2.п. = 15 п.

4 к.р.: удв. каждую 3 п. = 20 п.

5-6 к.р.: вязать 20 ст. б/н.

7 к.р.: провязать каждую 3 и 4 п. вм. = 15 п.

8 к.р.: провязать каждую 2 и 3 п. вм. = 10 п., набить ватой

9 к.р.: провязать по 2 вм = 5 п.

далее вязать поочередно пряжей красного и белого цветов

10 к.р.: удв. каждую п. = 10 п.

11 к.р.: удв. каждую 2 п. = 15 п.

12 к.р.: удв. каждую 3 п. = 20 п.

13 к.р.: удв. каждую 4 п. = 25 п.

14 к.р.: удв. каждую 5 п. = 30 п.

15-16 к.р.: вязать 30 ст. б/н., набить ватой

далее вязать пряжей светло-серого цвета

17-19 к.р.: вязать 30 ст. б/н.

20 к.р.: 15 ст. б/н., набр. новые 3 в.п. (шаг), 1 п/ст. б/н. провязать в 1 ст. б/н. = 18 п.

21 к.р.: 7 ст. б/н., 2 п. вм., 9 ст. б/н. = 17 п.

22 к.р.: 6 ст. б/н., 2 п. вм., 9 ст. б/н. = 16 п.

23 к.р.: 6 ст. б/н., 2 п. вм., 8 ст. б/н. = 15 п.

24 к.р.: 6 ст. б/н., 2 п. вм., 7 ст. б/н. = 14 п.

25 к.р.: связать 14 ст. б/н.

26 к.р.: вязать только за заднюю стенку, провязывать по 2 п. вм. = 7 п., набить ватой

другую штанину вязать симметрично, начиная спереди с середины:

20 к.р.: связать 18 ст. б/н.

21 к.р.: 7 ст. б/н., 2 п. вм., 9 ст. б/н. = 17 п.

22 к.р.: 6 ст. б/н., 2 п. вм., 9 ст. б/н. = 16 п.

23 к.р.: 6 ст. б/н., 2 п. вм., 8 ст. б/н. = 15 п.

24 к.р.: 6 ст. б/н., 2 п. вм., 7 ст. б/н. = 14 п.

25 к.р.: связать 14 ст. б/н.

26 к.р.: вязать только за заднюю стенку, провязывать по 2 п. вм. = 7 п., набить ватой.

Руки (2 шт.)

Набр. пряжей телесного цвета 2 в.п.

1 к.р.: провязать 4 ст. б/н. во 2-ю в.п.

2 к.р.: 1 ст. б/н., удв. 1 п., 1 ст. б/н., удв. 1 п. = 6п.

далее вязать поочередно пряжей красного и белого цветов

3-7 к.р.: вязать 6 ст. б/н.

Ботинки (2 шт.)

Набр. пряжей черного цвета 4 в.п., начинать с носка ботинка

1 к.р.: 3 ст. б/н., далее связать по нижнему краю цепочки из в.п. 3 ст. б/н. = 6 п.

2 к.р.: повт. 2 раза: 2 ст. б/н., удв. 1 п. = 8 п.

3 к.р.: связать 8 ст. б/н.

4 к.р.: повт. 2 раза: 3 ст. б/н., удв. 1 п. = 10 п.

5 к.р.: связать 10 ст. б/н.

6 к.р.: повт. 2 раза: 4 ст. б/н., удв. 1 п. = 12 п.

7 к.р.: связать 12 ст. б/н.

8 к.р.: 2 п. вм., 2 ст. б/н., 2x 2 п. вм., 2 ст. б/н., 2 п. вм. = 8 п.

9 к.р.: 1 ст. б/н., 2 п. вм., 2 ст. б/н., 2 п. вм., 1 ст. б/н. = 6 п.

Шляпа

Набр. пряжей черного цвета 2 в.п.

1 к.р.: провязать 5 ст. б/н. во 2-ю в.п.

2 к.р.: удв. каждую п. = 10 п.

3 к.р.: вязать только за заднюю стенку, связать 10 ст. б/н.

4 к.р.: связать 10 ст. б/н.

5 к.р.: вязать только за переднюю стенку, при этом удв. каждую 2 п. = 15 п.

6 к.р.: удв. каждую 3 п. = 20 п.

Рот

Набр. пряжей белого цвета 4 в.п.

1 к.р.: провязать 2 ст. б/н. во 2-ю в.п., 1 ст. б/н. в 3-ю в.п., 2 ст. б/н. в 4-ю в.п., по нижнему краю цепочки из в.п.: 4 ст. б/н. в 1-ю в.п., 1 п/ст. б/н. в 2-ю в.п., 4 ст. б/н. в 3-ю в.п. = 14 п.

Подтяжки (2 шт.)

Пряжей черного цвета связать 15 в.п.

Сборка

Набить руки ватой, пришить к туловищу. Ботинки немного набить ватой и пришить к ногам носком вперед. Шляпу набить ватой и, надев наискосок, зафиксировать на голове. Пришить рот и вышить красным цветом на нем губы. Сделать волосы из красной пряжи и прикрепить их к голове. Пришить подтяжки, вышить глаза и нос.

Воздушные шары

Связать по 1 воздушному шарику из пряжи желтого, оранжевого и красного цветов. Набр. пряжей 2 в.п.

1 р.: провязать 2 ст. б/н. во 2-ю в.п.

2 р.: удв. 2 п. = 4 п.

3 р.: удв. 1 п., 2 ст. б/н., удв. 1 п. = 6 п.

4-7 р.: вязать 6 ст. б/н.

8 р.: 2 п. вм., 2 ст. б/н., 2 п. вм. = 4 п.

9 р.: провязать по 2 п. вм. = 2 п.

10 р.: 2 п. вм. = 1 п.

11 р.: утроить 1 п. = 3 п.

12 р.: удв. 1 п., 1 ст. б/н., удв. 1 п. = 5 п.

Сборка

Пришить шарики друг к другу наиболее понравившимся способом. Ниточки пришить к середине шариков и оставить свободными. Магнит присоединить с обратной стороны, чтобы можно было прикреплять шарики, например к дверце холодильника.

Совет: если к шарикам прикрепить не магнит, а более длинный шнурок, то их можно будет использовать в качестве замечательной закладки для книг.

Бурый медведь и панда

→ маленькие друзья на всю жизнь

РАЗМЕР
10,5 см

МАТЕРИАЛ
◆ Крючок № 2,5
◆ Вата для наполнения игрушек

БУРЫЙ МЕДВЕДЬ
◆ Пушистая пряжа бежевого цвета, 50 г
◆ Нитки мулине коричневого цвета, остатки
◆ 2 половинки деревянной бусинки черного цвета, ø 5 мм

ПАНДА
◆ Пушистая пряжа белого цвета, 50 г
◆ Пушистая пряжа черного цвета, остатки
◆ Нитки мулине белого цвета, остатки
◆ 2 половинки деревянной бусинки черного цвета, ø 5 мм

Бурый медведь и панда

См. Мишка на стр. 74, при этом голову, руки, ноги, уши и нос у панды свзязать пряжей черного цвета. На носу вышить несколько стежков белой нитью. У бурого медведя на носу вышить несколько стежков коричневой нитью.

Заяц в комбинезоне

→ **Где морковка?**

РАЗМЕР
11,5 см

МАТЕРИАЛ
- Пряжа белого цвета, 50 г
- Пряжа светло-голубого и темно-синего цветов, остатки
- Нитки мулине коричневого цвета, остатки
- Помпон белого цвета, ø 6 мм
- Крючок № 2,5
- Вата для наполнения игрушек

Описание работы

См. на стр. 74 Мишка

Голова
Вязать пряжей белого цвета

Туловище
С 12 р. вязать пряжей светло-голубого цвета.

Руки (2 шт.)
1-4 к.р.: вязать пряжей белого цвета
5-8 к.р.: вязать пряжей светло-голубого цвета

Ноги (2 шт.)
Вязать пряжей белого цвета

Нос
Вязать пряжей белого цвета

Уши (2шт.)
Набр. пряжей белого цвета 8 в.п., замкнуть в кольцо

1-4 к.р.: вязать 8 ст. б/н.
5 к.р.: повт. 2 раза: 2 п. вм., 2 ст. б/н. = 6 п.
6-7 к.р.: вязать 6 ст. б/н., нить закрепить.

Штаны
Набр. пряжей темно-синего цвета 5 в.п.
1-4 р.: связать 4 ст. б/н.
5 к.р.: 4 ст. б/н., набр. новые 14 в.п., 1 п/ст. б/н. в 1 ст. б/н. = 18 п.
6-8 к.р.: 18 ст. б/н.

1-я штанина
9 к.р.: 7 ст. б/н., набр. новые 2 в.п., пропустить 9 ст. б/н., 2 ст. б/н., 1 п/ст. б/н. в 1 ст. б/н. = 11 п.
10-11 к.р.: вязать 11 ст. б/н.

2-я штанина
9 к.р.: 9 ст. б/н., 2 ст. б/н. над новыми 2 в.п. = 11 п.
10-11 к.р.: вязать 11 ст. б/н.

Лямки (2 шт.)
Пряжей темно-синего цвета связать 9 в.п.

Сборка
Набить руки и ноги ватой, пришить к туловищу. Нос и уши слегка набить ватой и пришить к голове. Глаза вышить коричневой нитью. Нос вышить в форме X и прикрепить усы. Надеть штаны, лямки перекрестить на спине и пришить к штанам. Приклеить помпон в качестве хвостика.

Описание работы

Голова

Набр. пряжей кремового цвета 2 в.п.

1 к.р.: провязать 5 ст. б/н. во 2-ю в.п.

2 к.р.: удв. каждую п. = 10 п.

3 к.р.: удв. каждую 2 п. = 15 п.

4 к.р.: удв. каждую 3 п. = 20 п.

5-6 к.р.: вязать 20 ст. б/н.

7 к.р.: провязать каждую 3 и 4 п. вм. = 15 п.

8 к.р.: провязать каждую 2 и 3 п. вм. = 10 п., набить ватой

9 к.р.: провязать по 2 п. вм. = 5 п. далее туловище вязать пряжей белого или желтого цвета

10 к.р.: удв. каждую п. = 10 п.

11 к.р.: удв. каждую 2 п. = 15 п.

12-15 к.р.: вязать 15 ст. б/н.

16 к.р.: вязать только за переднюю стенку, при этом удв. каждую п. = 30 п.

17-25 к.р.: вязать 30 ст. б/н.

26 к.р.: вязать только за заднюю стенку, при этом провязать каждую 4 и 5 вм. = 24 п.

27 к.р.: провязать каждую 3 и 4 п. вм. = 18 п.

28 к.р.: провязать каждую 2 и 3 п. вм. = 12 п., набить ватой

29 к.р.: провязать по 2 п. вм. = 6 п.

Руки (2 шт.)

Набр. пряжей кремового цвета 2 в.п.

1 к.р.: провязать 4 ст. б/н. во 2-ю в.п. = 4 п.

2 к.р.: повт. 2 раза: 1 ст. б/н., удв. 1 п. = 6 п. далее вязать пряжей белого или желтого цвета

3-7 к.р.: вязать 6 ст. б/н.

Подснежник

Набр. пряжей зеленого цвета 2 в.п.

1 к.р.: провязать 5 ст. б/н. во 2-ю в.п.

2 к.р.: связать 5 ст. б/н. далее вязать лепестки пряжей белого цвета

3 к.р.: 1 в.п., удв. 1 п., повернуть работу = 2 п.

4-6 к.р.: вязать 2 ст. б/н.

7 к.р.: 2 п. вм. = 1 п. остальные 4 лепестка вязать также через каждый 1 ст. б/н.

Подсолнух

Набр. пряжей оранжевого цвета 2 в.п.

1 к.р.: провязать 6 ст. б/н. во 2-ю в.п.

2 к.р.: удв. каждую п. = 12 п. далее вязать лепестки пряжей желтого цвета

3 к.р.: 1 в.п., 2 ст. б/н., повернуть работу = 2 п.

4-6 к.р.: вязать 2 ст. б/н.

7 к.р.: 2 п. вм. = 1 п. остальные 5 лепестков вязать также через каждые 2 п.

Стебель для подснежника и подсолнуха

Набр. пряжей зеленого цвета 2 в.п.

1 к.р.: провязать 4 ст. б/н. во 2-ю в.п.

2-18 к.р.: вязать 4 ст. б/н.

Листья для подснежника и подсолнуха (2 шт.)

Набр. пряжей зеленого цвета 4 в.п.

1-2 р.: вязать 3 ст. б/н.

3 р.: 2 ст. б/н., удв. 1 п. = 4 п.

4 р.: 3 ст. б/н., удв. 1 п. = 5 п.

5-6 р.: вязать 5 ст. б/н.

7 р.: 2 п. вм., 1 ст. б/н., 2 п. вм. = 3 п.

8 р.: 3 п. вм. = 1 п.

Шапочка

Связать цветок и лепестки еще раз, при этом стебель цветка вязать пряжей зеленого или оранжевого цвета: набр. 6 в.п. и связать 5 ст. б/н. = 5 п.

Сборка

Набить руки ватой и пришить к туловищу. Из пряжи песочного цвета сделать волосы, прикрепить их к голове и уложить в узел. Вышить глаза и рот. На голову пришить шляпку. Пришить к цветку лепестки, а к стеблю листья, затем пришить стебель к цветку. Прикрепить цветок к руке.

РАЗМЕР

9 см

МАТЕРИАЛ

◆ Крючок № 2,5

◆ Вата для наполнения игрушек

ПОДСНЕЖНИК

◆ Пряжа белого цвета, 50 г

◆ Пряжа кремового, зеленого и песочного цветов, остатки

◆ Нитки мулине красного и синего цветов, остатки

ПОДСОЛНУХ

◆ Пряжа желтого цвета, 50 г

◆ Пряжа кремового, оранжевого, песочного и зеленого цветов, остатки

◆ Нитки мулине красного и коричневого цветов, остатки

Свинья, медведь и привидение

→ пальчиковые куклы

РАЗМЕР
7 см

МАТЕРИАЛ
◆ Крючок № 2,5

СВИНЬЯ
◆ Пряжа светло-розового цвета, остатки
◆ 2 глаза для кукол, ø 5 мм
◆ Вата для наполнения игрушек

МЕДВЕДЬ
◆ Пряжа каштанового и белого цветов, остатки
◆ 2 глаза для кукол, ø 5 мм
◆ Вата для наполнения игрушек

ПРИВИДЕ-НИЕ
◆ Пряжа белого и черного цветов, остатки

Описание работы

Туловище свиньи или медведя
Набр. пряжей светло-розового или каштанового цвета 2 в.п.
1 к.р.: провязать 6 ст. б/н. во 2-ю в.п.
2 к.р.: удв. каждую п. = 12 п.
3 к.р.: удв. каждую 2 п. = 18 п.
4-20 к.р.: вязать 18 ст. б/н.

Туловище привидения
Набр. пряжей белого цвета 2 в.п.
1.17 к.р.: см. Свинья
18 к.р.: удв. каждую 6 п. = 21 п.
19 к.р.: удв. каждую 7 п. = 24 п.
20 к.р.: удв. каждую 8 п. = 27 п.

21 к.р.: пост. чередовать: 3 ст. б/н. в 1-ю п., 1 п/ст. б/н. во 2-ю п.

Пятачок свиньи
Набр. пряжей светло-розового цвета 2 в.п.
1 к.р.: провязать 6 ст. б/н. во 2-ю в.п.
2 к.р.: вязать только за заднюю стенку, связать 6 ст. б/н.

Нос медведя
Набр. пряжей белого цвета 2 в.п., провязать 6 ст. б/н. во 2-ю в.п.

Уши свиньи (2 шт.)
Набр. пряжей светло-розового цвета 4 в.п.
1-2 р.: вязать 3 ст. б/н.
3 р.: 3 п. вм. = 1 п.

Уши медведя (2 шт.)
Набр. пряжей каштанового

цвета 2 в.п.
1 к.р.: провязать 3 ст. б/н. во 2-ю п.
2 к.р.: повт. 2 раза: 2 ст. б/н., удв. 1 п. = 8 п.

Руки привидения
(2 шт.)
Набр. пряжей белого цвета 9 в.п.
1-3 к.р.: 8 ст. б/н.

Сборка
Пришить уши к голове. Нос для медведя и пятачок для свиньи слегка набить ватой и пришить. Наклеить свинье и медведю глаза. На носу у медведя вышить нитками каштанового цвета несколько стежков. Привидению пришить руки и вышить глаза и рот черными нитками.

Утиная семейка

→ для самых маленьких

РАЗМЕР

Утята 5 см

Утка 6,5 см

МАТЕРИАЛ

Пряжа желтого цвета, 50 г

Пряжа оранжевого цвета, остатки

Нитки мулине коричневого цвета, остатки

Крючок № 2,5

Вата для наполнения игрушек

Описание работы

См. Ворон на стр. 70

Голова и туловище

Вязать пряжей желтого цвета

Клюв

Вязать пряжей оранжевого цвета

Сборка

Туловище набить ватой и зашить. Клюв согнуть пополам и сшить по бокам. Пришить клюв к голове и вышить глаза. Для утиного выводка связать несколько утят. Сделать цепочку из в.п. нужной длины.

Свинья, медведь и заяц

→ колпачки для карандашей

Описание работы

Голова свиньи, медведя или зайца

Набр. пряжей светло-розового, каштанового или кремового цвета 2 в.п.

1 к.р.: провязать 6 ст. б/н. во 2-ю в.п.
2 к.р.: удв. каждую п. = 12 п.
3 к.р.: удв. каждую 2 п. = 18 п.
4 к.р.: удв. каждую 3 п. = 24 п.
5-7 к.р.: вязать 24 ст. б/н.
8 к.р.: провязать каждую 3 и 4 п. вм. = 18 п.
9 к.р.: провязать каждую 2 и 3 п. вм. = 12 п., набить ватой

Пятачок свиньи

Набр. пряжей светло-розового цвета

2 в.п.
1 к.р.: провязать 6 ст. б/н. во 2-ю в.п.
2 к.р.: вязать только за заднюю стенку, связать 6 ст. б/н.

Нос медведя

Набр. пряжей белого цвета 2 в.п., провязать 6 ст. б/н. во 2-ю в.п.

Уши свиньи (2 шт.)

Набр. пряжей светло-розового цвета 4 в.п.
1-2 р.: вязать 3 ст. б/н.
3 р.: 3 п. вм. = 1 п.

Уши медведя (2 шт.)

Набр. пряжей каштанового цвета 2 в.п.
1 к.р.: провязать 6 ст. б/н. во 2-ю в.п.

2 к.р.: повт. 2 раза: 2 ст. б/н, удв. 1 п. = 8 п.

Уши зайца (2 шт.)

Набр. пряжей кремового цвета 6 в.п., замкнуть в кольцо
1-3 к.р.: вязать 6 ст. б/н.
4 к.р.: повт. 2 раза: 2 п. вм., 1 ст. б/н = 4 п.
5 к.р.: связать 4 ст. б/н.

Сборка

Пришить уши к голове. Нос и пятачок слегка набить ватой и пришить. Приклеить глаза.

У медведя вышить нос каштановым цветом, у зайца вышить нос формой Х и прикрепить усы.

РАЗМЕР

3 см

МАТЕРИАЛ

◆ Крючок № 2,5
◆ Вата для наполнения игрушек

СВИНЬЯ

◆ Пряжа светло-розового цвета, остатки
◆ 2 глаза для кукол, ø 4 мм

МЕДВЕДЬ

◆ Пряжа каштанового и белого цветов, остатки
◆ 2 глаза для кукол, ø 4 мм

ЗАЯЦ

◆ Пряжа кремового цвета, остатки
◆ Нитки мулине коричневого цвета, остатки
◆ 2 глаза для кукол, ø 4 мм

Птичка, лягушка и цыпленок

→ веселые варианты с круглыми малышами

РАЗМЕР
3 см

МАТЕРИАЛL
- Крючок № 2,5
- Вата для наполнения игрушек

ПТИЧКА
- Пряжа светло-синего и бледно-желтого цветов, остатки
- 2 глаза для кукол, ø 4 мм
- Кольцо для ключей

ЛЯГУШКА
- Пряжа салатового и оранжевого цветов, остатки
- Нитки мулине красного цвета, остатки
- 2 деревянные бусинки оранжевого цвета, ø 7 мм
- Водостойкий фломастер черного цвета

ЦЫПЛЕНОК
- Пряжа с бахромой желтого цвета, остатки
- Пряжа оранжевого цвета, остатки
- 2 глаза для кукол, ø 4 мм

Описание работы

Голова птички, лягушки или цыпленка
Вязать пряжей светло-синего, салатового или желтого цвета
1-9 к.р.: см. Свинья, медведь и заяц
10 к.р.: провязать по 2 п. вм. = 6 п.

Крылья птички или цыпленка (2 шт.)
Набр. пряжей светло-синего или оранжевого цвета 4 в.п.
1 р.: связать 3 ст. б/н.
2 р.: 1 ст. б/н., 2 п. вм. = 2 п.
3 р.: 2 п. вм. = 1 п.

Лапки птички, лягушки или цыпленка (2 шт.)
Набр. пряжей бледно-желтого или оранжевого цвета 4 в.п.
1-2 р.: вязать 3 ст. б/н.
3 р.: 4 в.п., 1 ст. б/н., 5 в.п., 1 ст. б/н., 4 в.п., 1 ст. б/н.

Клюв птички или цыпленка
Набр. пряжей бледно-желтого или оранжевого цвета 5 в.п. и связать 4 ст. б/н.

Сборка
Птичке и цыпленку пришить крылья. Клюв согнуть пополам, зафиксировать и пришить к голове. Приклеить глаза. Пришить лапки птичке, лягушке и цыпленку. Лягушке в качестве глаз пришить бусинки и нарисовать на них черным фломастером зрачки, вышить красным цветом рот. К птичке прикрепить кольцо для ключей.

Мухомор и гном

→ привет из сказочного леса

РАЗМЕР
Мухомор 5 см
Гном 10 см

МАТЕРИАЛ
Крючок № 2,5

Вата для
наполнения
игрушек

МУХОМОР
Пряжа белого
и красного
цветов, остатки

ГНОМ
Пряжа белого,
салатового и
темно-
зеленого цве-
тов, остатки

Пушистая
пряжа кремо-
вого цвета,
остатки

Нитки мулине
зеленого и
красного цве-
тов, остатки

Мухомор

Ножка и шляпка
Набр. пряжей белого цвета
2 в.п.
1 к.р.: провязать 6 ст. б/н. во
2-ю в.п.
2 к.р.: удв. каждую п. = 12 п.
3 к.р.: вязать только за
заднюю стенку, связать 12 ст.
б/н.
4-6 к.р.: вязать 12 ст. б/н.
7 к.р.: провязать каждую 3 и
4 п. вм. = 9 п.
8-9 к.р.: вязать 9 ст. б/н.
10 к.р.: вязать только за
переднюю стенку, удв. каждую п. = 18 п.
11 к.р.: удв. каждую 2 п. =
27 п.
далее вязать пряжей крас-
ного цвета
12 к.р.: удв. каждую 3 п. =
36 п.
13 к.р.: связать 36 ст. б/н.
14 к.р.: провязать каждую
5 и 6 п. вм. = 30 п.
15 к.р.: провязать каждую
4 и 5 п. вм. = 24 п.
16 к.р.: провязать каждую
3 и 4 п. вм. = 18 п.
17 к.р.: провязать каждую 2 и
3 п. вм. = 12 п., набить ватой
18 к.р.: провязать по 2 п. вм.
= 6 п., нить закрепить.

Сборка
Вышить точки на шляпке.

Гном

Голова и туловище
Набр. пряжей белого цвета
2 в.п.
1 к.р.: провязать 5 ст. б/н. во
2-ю в.п.
2 к.р.: удв. каждую п. = 10 п.
3 к.р.: удв. каждую 2 п. =
15 п.
4-5 к.р.: вязать 15 ст. б/н.
6 к.р.: провязать каждую 2 и
3 п. вм. = 10 п., набить ватой
7 к.р.: провязать по 2 п. вм. =
5 п.
далее вязать пряжей салатового цвета

8 к.р.: удв. 1 п., 1 ст. б/н.,
удв. 1 п., 1 ст. б/н., удв. 1 п. =
8 п.
9 к.р.: удв. каждую 2 п. =
12 п.
10-11 к.р.: вязать 12 ст. б/н.
12 к.р.: удв. каждую 3 п. =
16 п.
13-14 к.р.: вязать 16 ст. б/н.
15 к.р.: удв. каждую 4 п. =
20 п.
16-17 к.р.: вязать 20 ст. б/н.
18 к.р.: вязать только за
заднюю стенку, при этом провязать каждую 3 и 4 п. вм. =
15 п.
19 к.р.: провязать каждую
2 и 3 п. вм. = 10 п., набить
ватой
20 к.р.: провязать по 2 п. вм.
= 5 п.

Шапка
Набр. пряжей темно-зеленого
цвета 16 в.п., замкнуть в
кольцо
1-4 к.р.: вязать 16 ст. б/н.
5 к.р.: 2 ст. б/н., 2х 2 п. вм.,
4 ст. б/н., 2х 2 п. вм., 2 ст.
б/н. = 12 п.
6-7 к.р.: вязать 12 ст. б/н.
8 к.р.: 1 ст. б/н., 2х 2 п. вм.,
2 ст. б/н., 2х 2 п. вм., 1 ст.
б/н. = 8 п.
9-10 к.р.: вязать 8 ст. б/н.
11 к.р.: провязать по 2 п. вм.
= 4 п., нить закрепить.

Плащ
Набр. пряжей темно-зеленого
цвета 13 в.п.
1 р.: связать 12 ст. б/н.
2 р.: удв. 1 п., 10 ст. б/н., удв.
1 п. = 14 п.
3 р.: связать 14 ст. б/н.
4 р.: удв. 1 п., 12 ст. б/н., удв.
1 п. = 16 п.
5 р.: связать 16 ст. б/н.
6 р.: удв. 1 п., 14 ст. б/н., удв.
1 п. = 18 п.
7 р.: связать 18 ст. б/н.
8 р.: удв. 1 п., 16 ст. б/н., удв.
1 п. = 20 п.
9 р.: связать 20 ст. б/н.

Сборка
Шапку слегка набить ватой и
пришить. Плащ зафиксиро-
вать вверху у горла и завя-
зать бантик. Волосы и бороду
сделать из пряжи с бахромой,
прикрепив вокруг лица.
Вышить глаза и рот.

Цветочный эльф

→ *завораживает*

Описание работы

Голова и туловище

Набр. пряжей кремового цвета 2 в.п.

1 к.р.: провязать 5 ст. б/н. во 2-ю в.п.

2 к.р.: удв. каждую п. = 10 п.

3 к.р.: удв. каждую 2 п. = 15 п.

4-5 к.р.: вязать 15 ст. б/н.

6 к.р.: провязать каждую 2 и 3 п. вм. = 10 п., набить ватой

7 к.р.: провязать по 2 п. вм. = 5 п.

8 к.р.: удв. каждую п. = 10 п.

9 к.р.: 2 ст. б/н., удв. 2 п., 3 ст. б/н., удв. 2 п., 1 ст. б/н. = 14 п.

10 к.р.: 3 ст. б/н., удв. 2 п., 5 ст. б/н., удв. 2 п., 2 ст. б/н. = 18 п.

11-14 к.р.: вязать 18 ст. б/н.

15 к.р.: 4 ст. б/н., 2 вм., 7 ст. б/н., 2 вм., 3 ст. б/н. = 16 п.

16-17 к.р.: вязать 16 ст. б/н.

1 ногу вязать далее пряжей кремового цвета

18 к.р.: 3 ст. б/н., 2 вм., 3 ст. б/н., 1 в.п., 1 п/ст. б/н. в 1 ст. б/н. = 8 п.

19-22 к.р.: вязать 8 ст. б/н.

23 к.р.: 2 вм., 6 ст. б/н. = 7 п.

24-26 к.р.: вязать 7 ст. б/н., набить ватой

27 к.р.: 3х 2 вм., 1 ст. б/н. = 4 п.

2 ногу вязать симметрично, при этом:

18 к.р.: 3 ст. б/н., 2 вм., 3 ст. б/н., 1 ст. б/н. в середину цепочки из в.п. = 8 п.

19-27 к.р.: см. 1 нога

Руки (2 шт.)

Набр. пряжей кремового цвета 2 в.п.

1 к.р.: провязать 5 ст. б/н. во 2-ю в.п.

2-7 к.р.: вязать 5 ст. б/н.

Платье (2 шт.)

Сначала связать 2 верхние части платья, для этого набр. пряжей сиреневого цвета 7 в.п.

1-4 р.: вязать 6 ст. б/н. далее вязать нижнюю часть платья пряжей фиолетового цвета

5 к.р.: 6 ст. б/н. над первой верхней частью, 6 новых в.п., 6 ст. б/н. над второй верхней частью, 6 новых в.п., 1 п/ст. б/н. в 1 ст. б/н. = 24 п.

6 к.р.: вязать 24 ст. б/н.

7 к.р.: удв. каждую 3 п. = 30 п.

8-10 к.р.: вязать 30 ст. б/н.

11 к.р.: удв. каждую 6 п. = 35 п.

12-15 к.р.: вязать 35 ст. б/н.

16 к.р.: пост. повторять: 1 ст. б/н., 2 вп.

Крылья (2 шт.)

Набр. пряжей бордового цвета 4 в.п.

1-2 р.: вязать 3 ст. б/н.

3 р.: удв. 1 п., 1 ст. б/н., удв. 1 п. = 5 п.

4 р.: связать 5 ст. б/н.

5 р.: удв. 1 п., 3 ст. б/н., удв. 1 п. = 7 п.

6 р.: связать 7 ст. б/н.

7 р.: удв. 1 п., 5 ст. б/н., удв. 1 п. = 9 п.

8-9 р.: вязать 9 ст. б/н., работу разделить

10 р.: 3 ст. б/н., 2 вм., повернуть работу = 4 п.

11 р.: провязать по 2 п. вм. = 2 п.

12 р.: 2 п. вм. = 1 п. вторую часть крыла связать симметрично

10 р.: с середины провязать 2 п. вм., 3 ст. б/н. = 4 п.

11-12 р.: связать как 1 часть крыла.

Цветочная палочка

Набр. пряжей сиреневого цвета 17 в.п.

1 р.: провязать 5 ст. б/н. во 2-ю в.п., 1 п/ст. б/н. в 1 ст. б/н. = 5 п.

далее вязать пряжей бордового цвета

2 к.р.: провязывать в каждую п.: 1 ст. б/н., 1 ст. с/н., 1 ст. б/н.

Повязка на голову

Пряжей сиреневого цвета связать 22 в.п.

Сборка

Руки набить ватой и прикрепить к туловищу. Надеть платье и зафиксировать сверху. Прикрепить волосы, вышить рот, а в качестве глаз приклеить бусинки. Пришить повязку на голову, приклеить цветочки и пришить крылья. По нижнему краю платья наклеить камешки. Протянуть проволоку через цепочку из в.п. цветочной палочки и прикрепить ее к руке.

Чудовище

→ вселяющее ужас страшилище

РАЗМЕР

18 см

МАТЕРИАЛ

◆ Пряжа телесного цвета, 50 г

◆ Пряжа чёрного, кофейного и белого цветов, остатки

◆ Пряжа с бахромой песочного цвета, остатки

◆ Пушистая пряжа каштанового и светло-коричневого цветов, остатки

◆ Нитки мулине белого и чёрного цветов, остатки

◆ 2 деревянные бусинки светлого цвета, ø 1,2 см

◆ Крючок № 2,5

◆ Водостойкий фломастер чёрного цвета

◆ Вата для наполнения игрушек

Описание работы

Голова

Набр. пряжей телесного цвета 2 в.п.

1 к.р.: провязать 6 ст. б/н. во 2-ю в.п.

2 к.р.: удв. каждую п. = 12 п.

3 к.р.: удв. каждую 2 п. = 18 п.

4 к.р.: удв. каждую 3 п. = 24 п.

5 к.р.: удв. каждую 4 п. = 30 п.

6-9 к.р.: вязать 30 ст. б/н.

10 к.р.: 6 ст. б/н., повт. 2 раза: 2 п. вм., 1 ст. б/н., затем 2 п. вм., 2 ст. б/н., повт. 2 раза: 2 п. вм., 1 ст. б/н., затем 2 п. вм., 6 ст. б/н. = 24 п.

11 к.р.: 5 ст. б/н., повт. 4 раза: 2 п. вм., 1 ст. б/н., затем 2 п. вм., 5 ст. б/н. = 19 п.

12 к.р.: 4 ст. б/н., повт. 3 раза: 2 п. вм., 1 ст. б/н., затем 2 п. вм., 4 ст. б/н. = 15 п.

13 к.р.: провязать каждую 2 и 3 п. вм. = 10 п.

далее вязать поочерёдно пряжей каштанового и светло-коричневого цветов

14 к.р.: связать 10 ст. б/н.

15 к.р.: удв. каждую п. = 20 п.

16 к.р.: 4 ст. б/н., удв. 2 п., 8 ст. б/н., удв. 2 п., 4 ст. б/н. = 24 п.

17-24 к.р.: вязать 24 ст. б/н.

далее вязать пряжей песочного цвета

25 к.р.: вязать только за заднюю стенку, связать 24 ст. б/н.

26 к.р.: связать 24 ст. б/н.

Штаны

1-я штанина

27 к.р.: 5 ст. б/н., 2 п. вм., 4 ст. б/н., 2 в.п., 1 п/ст. б/н. в 1 ст. б/н. = 12 п.

28-35 к.р.: вязать 12 ст. б/н.

36 к.р.: вязать только за заднюю стенку, провязать каждую 2 и 3 п. вм. = 8 п., набить ватой, нить закрепить.

2-я штанина

27 к.р.: 5 ст. б/н., 2 п. вм., 4 ст. б/н., 2 ст. б/н. над в.п. = 12 п.

28-35 к.р.: вязать 12 ст. б/н.

36 к.р.: вязать только за заднюю стенку, провязать каждую 2 и 3 п. вм. = 8 п., набить ватой, нить закрепить.

Когти (12 шт.)

Пряжей чёрного цвета связать 3 в.п.

Рога (2 шт.)

Набр. пряжей чёрного цвета 5 в.п., замкнуть в кольцо

1.-5. к.р.: вязать 5 ст. б/н., нить закрепить.

Ступни (2 шт.)

Набр. пряжей песочного цвета 4 в.п., начинать спереди

1 к.р.: связать 3 ст. б/н. по верхнему краю цепочки из в.п. и 3 ст. б/н. по нижнему краю = 6 п.

2 к.р.: повт. 2 раза: 2 ст. б/н., удв. 1 п. = 8 п.

3 к.р.: связать 8 ст. б/н.

4 к.р.: повт. 2 раза: 3 ст. б/н., удв. 1 п. = 10 п.

5 к.р.: связать 10 ст. б/н.

6 к.р.: повт. 2 раза: 4 ст. б/н., удв. 1 п. = 12 п.

7 к.р.: связать 12 ст. б/н.

8 к.р.: провязать по 2 п. вм. = 6 п., слегка набить ватой

Руки (2 шт.)

Набр. пряжей телесного цвета 2 в.п.

1 к.р.: провязать 5 ст. б/н. во 2-ю в.п.

2 к.р.: удв. 1 п., 1 ст. б/н., удв. 1 п., 1 ст. б/н., удв. 1 п. = 8 п.

3 к.р.: связать 8 ст. б/н. далее вязать по 1 к.р. пряжей каштанового и светло-коричневого цветов

4-12 к.р.: вязать 8 ст. б/н.

Сборка

Пришить к ногам ступни, к голове рога. Пришить на каждую руку и ногу по 3 когтя. Вокруг лица прикрепить бороду и волосы из каштановой пряжи. Пришить в качестве глаз бусинки и нарисовать на них зрачки. Вышить рот и клыки.

Красавица

→ ты прекрасней всех на свете!

РАЗМЕР

10 см

МАТЕРИАЛ

- Пряжа белого, нежно-розового и телесного цветов, остатки

- Пушистая пряжа телесного цвета, остатки

- Металлизированная пряжа золотого цвета, остатки

- Нитки мулине синего и красного цветов, остатки

- Крючок, № 2,5

- Вата для наполнения игрушек

Описание работы

см. Цветочные феи на стр. 82

Голова и туловище

1-9 к.р.: вязать пряжей телесного цвета
10-15 к.р.: вязать пряжей белого цвета
16 к.р.: вязать пряжей золотого цвета
17-30 к.р.: вязать пряжей нежно-розового цвета

Руки (2 шт.)

1-4 к.р.: вязать пряжей телесного цвета далее вязать пряжей белого цвета
5 к.р.: удв. каждую п. = 12 п.
6 к.р.: связать 12 ст. б/н.
7 к.р.: провязать каждую 3 и 4 п. вм. = 8 п.

Пояс (2 шт.)

Пряжей золотого цвета связать 8 в.п.

Корона

Набр. пряжей золотого цвета 26 в.п., замкнуть в кольцо
1 к.р.: связать 26 ст. б/н.
2 к.р.: 10 п/ст. б/н., пропустить 1 п., 5 ст. с/н., пропустить 1 п., 1 п/ст. б/н., повернуть работу, на каждый ст. с/н. провязать по 3 в.п. и п/ст. б/н.

Сборка

Руки набить, сложить пополам, зафиксировать и пришить к туловищу. Волосы сделать из пушистой пряжи. Прикрепить к голове корону. Вышить лицо и пришить пояс.

Единорог

→ из далекой страны

РАЗМЕР
10 см

МАТЕРИАЛ
◆ Пряжа белого цвета, 50 г
◆ Пряжа кремового цвета, остатки
◆ Пряжа с бахромой кремового цвета, остатки
◆ Металлизированная пряжа золотого цвета, остатки
◆ Нитки мулине коричневого цвета, остатки
◆ Крючок № 2,5
◆ Вата для наполнения игрушек

Описание работы

См. Зебра на стр. 8

Туловище и уши
Вязать пряжей белого цвета.

Передние ноги (2 шт.)
1-2 к.р.: вязать пряжей кремового цвета
3-9 к.р.: вязать пряжей белого цвета.

Задние ноги (2 шт.)
1-2 к.р.: вязать пряжей кремового цвета
3-9 к.р.: вязать пряжей белого цвета.

Рог
Набр. пряжей золотого цвета 5 в.п., замкнуть в кольцо
1-3 к.р.: вязать 5 ст. б/н.
4 к.р.: 2 п. вм., 3 ст. б/н. = 4 п.
5-6 к.р.: вязать 4 ст. б/н., нить закрепить.

Сборка
Набить ноги ватой и пришить к туловищу. Рог набить и пришить. Глаза и ноздри вышить. Из бахромчатой пряжи сделать гриву и хвост и прикрепить их к туловищу.

Волшебник

→ сильный маг

РАЗМЕР
13 см

МАТЕРИАЛ

Пряжа черного цвета, 50 г

Пряжа кремового и синего цветов, остатки

Пряжа с бахромой светло-серого цвета, остатки

Металлизированная пряжа серебряного цвета, остатки

Нитки мулине синего и красного цветов, остатки

Крючок № 2,5

Вата для наполнения игрушек

Описание работы

См. Ведьма на стр. 98

Голова и туловище
1-9 к.р.: вязать пряжей кремового цвета
10-22 к.р.: вязать пряжей черного цвета
23 к.р.: удв. каждую 6 п. = 28 п.
24-25 к.р.: вязать 28 ст. б/н.
26 к.р.: вязать только за заднюю стенку, провязать каждую 3 и 4 п. вм. = 21 п.
27 к.р.: провязать каждую 2 и 3 п. вм. = 14 п., набить ватой
28 к.р.: провязать по 2 п. вм. = 7 п.
29 к.р.: 3х 2 п. вм., 1 ст. б/н. = 4 п.

Шляпа
Вязать пряжей черного цвета, но без полей.

Руки (2 шт.)
1-2 к.р.: вязать пряжей кремового цвета
3-8 к.р.: вязать пряжей черного цвета

Волшебная палочка
Набр. пряжей белого цвета 3 в.п.
1 р.: связать 2 ст. б/н.
2-7 р.: пряжей черного цвета: 2 ст. б/н.
8 р.: пряжей белого цвета: 2 ст. б/н.

Плащ
Набр. пряжей синего цвета 15 в.п.
1 р.: связать 14 ст. б/н.
2 р.: удв. 1 п., 12 ст. б/н., удв. 1 п. = 16 п.
3 р.: связать 16 ст. б/н.

4 р.: удв. 1 п., 14 ст. б/н., удв. 1 п. = 18 п.
5 р.: связать 18 ст. б/н.
6 р.: удв. 1 п., 16 ст. б/н., удв. 1 п. = 20 п.
7 р.: связать 20 ст. б/н.
8 р.: удв. 1 п., 18 ст. б/н., удв. 1 п. = 22 п.
9 р.: связать 22 ст. б/н.
10 р.: удв. 1 п., 20 ст. б/н., удв. 1 п. = 24 п.
11 р.: связать 24 ст. б/н.
12 р.: удв. 1 п., 22 ст. б/н., удв. 1 п. = 26 п.
13 р.: связать 26 ст. б/н.
14 р.: удв. 1 п., 24 ст. б/н., удв. 1 п. = 28 п.
15 р.: связать 28 ст. б/н.

Сборка
Руки набить ватой и пришить. Вышить звездочки серебряными нитками на плаще и шляпе. Плащ зафиксировать на спине, шляпу чуть набить ватой и пришить к голове. Прикрепить волосы и бороду из пряжи с бахромой. Волшебную палочку сшить вдоль и прикрепить к руке. Вышить глаза и рот.

Ангел-хранитель

→ на случай опасных ситуаций

РАЗМЕР
9,5 см

МАТЕРИАЛ

◆ Пряжа белого и кремового цветов, остатки

◆ Металлизированная пряжа серебряного цвета, 25 г

◆ Нитки мулине красного и синего цветов, остатки

◆ Волосы для кукол

◆ Крючок № 2,5

◆ Вата для наполнения игрушек

Описание работы

Голова и платье
Набр. пряжей кремового цвета 2 в.п.

1 к.р.: провязать 5 ст. б/н. во 2-ю в.п.

2 к.р.: удв. каждую п. = 10 п.

3 к.р.: удв. каждую 2 п. = 15 п.

4-5 к.р.: вязать 15 ст. б/н.

6 к.р.: провязать каждую 2 и 3 п. вм., набить ватой

7 к.р.: провязать по 2 п. вм. = 5 п.

далее вязать пряжей серебряного цвета

8 к.р.: удв. 1 п., 1 ст. б/н., удв. 1 п., 1 ст. б/н., удв. 1 п. = 8 п.

9 к.р.: удв. каждую 2 п. = 12 п.

10-11 к.р.: вязать а12 ст. б/н.

12 к.р.: удв. каждую 3 п. = 16 п.

13-14 к.р.: вязать 16 ст. б/н.

15 к.р.: удв. каждую 4 п. = 20 п.

16 к.р.: связать 20 ст. б/н.

17 к.р.: удв. каждую 4 п. = 25 п.

18 к.р.: связать 25 ст. б/н.

19 к.р.: удв. каждую 5 п. = 30 п.

20-21 к.р.: вязать 30 ст. б/н.

22 к.р.: удв. каждую 6 п. = 35 п.

23-24 к.р.: вязать 35 ст. б/н.

25 к.р.: постоянно повт.: 1 ст. б/н., 2 в.п.

Рукава
Набр. пряжей серебряного цвета 8 в.п. и замкнуть в кольцо

1-4 к.р.: вязать 8 ст. б/н.

5 к.р.: удв. каждую 2 п. = 12 п.

6 к.р.: связать 12 ст. б/н.

7 к.р.: постоянно повт.: 1 ст. б/н., 2 в.п.

Туловище
Набр. пряжей кремового цвета 8 в.п. и замкнуть в кольцо

1-5 к.р.: вязать 8 ст. б/н.

6 к.р.: удв. каждую 2 п. = 12 п.

7-8 к.р.: вязать 12 ст. б/н., затем работу разделить

9 к.р.: 33 ст. б/н., набр. новую в.п., пропустить 6 п., 3 ст. б/н. = 7 п.

10-15 к.р.: вязать 7 ст. б/н.

16-17 к.р.: пряжей серебряного цвета вязать 7 ст. б/н. Вторую ногу вязать аналогично с 9 к.р.

Крылья
Набр. пряжей белого цвета 3 в.п.

1 р.: связать 2 ст. б/н.

2 р.: удв. каждую п. = 4 п.

3 р.: удв. каждую п. = 8 п.

4 р.: удв. 1 п., 6 ст. б/н., удв. 1 п. = 10 п.

5 р.: удв. 1 п., 8 ст. б/н., удв. 1 п. = 12 п.

6 р.: удв. 1 п., 10 ст. б/н., удв. 1 п. = 14 п., затем работу разделить

7 р.: связать 7 ст. б/н., работу повернуть

8 р.: 2 п. вм., 4 ст. б/н., удв. 1 п. = 7 п.

9 р.: связать 7 ст. б/н.

10 р.: 2 п. вм., 5 ст. б/н. = 6 п.

11 р.: 2 п. вм., 2 ст. б/н., 2 п. вм. = 4 п.

12 р.: провязать по 2 п. вм. = 2 п.

вторую часть крыла вязать симметрично, при этом:

7 р.: связать 7 ст. б/н., повернуть работу

8 р.: удв. 1 п., 4 ст. б/н., 2 п. вм. = 7 п.

9 р.: связать 7 ст. б/н.

10 р.: 5 ст. б/н., 2 п. вм. = 6 п.

11 р.: 2 п. вм., 2 ст. б/н., 2 п. вм. = 4 п.

12 р.: провязать по 2 п. вм. = 2 п.

Руки (2 шт.)
Набр. пряжей кремового цвета 2 в.п.

1 к.р.: провязать 5 ст. б/н. во 2-ю в.п.

2-7 р.: вязать 5 ст. б/н.

Панталоны
Набр. пряжей серебряного цвета 9 в.п.

1 р.: связать 8 ст. б/н.

2 р.: 2 п. вм., 4 ст. б/н., 2 п. вм. = 6 п.

3 р.: 2 п. вм., 2 ст. б/н., 2 п. вм. = 4 п.

4 р.: провязать по 2 п. вм. = 2 п.

5-7 р.: вязать 2 ст. б/н.

8 р.: удв. 2 п. = 4 п.

9 р.: удв. 1 п., 2 ст. б/н., удв. 1 п. = 6 п.

10 р.: 1 п., 4 ст. б/н., удв. 1 п. = 8 п.

Сборка
Туловище набить ватой и прикрепить к голове, под платьем. Набить руки ватой и пришить к платью. Сверху натянуть рукава и пришить. К спине прикрепить крылья. Панталоны сложить пополам, сшить боковые стороны, надеть на туловище и пришить. Прикрепить волосы и вышить рот с глазами.

Ведьма

→ мышиный хвост и гороховая каша

РАЗМЕР
13 см

МАТЕРИАЛ

- Пряжа черного цвета, 50 г
- Пряжа фисташкового цвета, остатки
- Пряжа с бахромой рыжего цвета, остатки
- Пушистая пряжа светло-коричневого цвета, остатки
- Синельная проволока светло-коричневого цвета
- Нитки мулине красного и коричневого цветов, остатки
- Крючок № 2,5
- Вата для наполнения игрушек

Описание работы

Голова

Набр. пряжей фисташкового цвета 2 в.п.

1 к.р.: провязать 5 ст. б/н. во 2-ю в.п.

2 к.р.: удв. каждую п. = 10 п.

3 к.р.: удв. каждую 2 п. = 15 п.

4 к.р.: удв. каждую 3 п. = 20 п.

5-6 к.р.: вязать 20 ст. б/н.

7 к.р.: провязать каждую 3 и 4 п. вм. = 15 п.

8 к.р.: провязать каждую 2 и 3 п. вм. = 10 п., набить ватой

9 к.р.: провязать по 2 п. вм. = 5 п.

далее вязать пряжей черного цвета

10 к.р.: связать 5 ст. б/н.

11 к.р.: удв. 1 п., 1ст. б/н., удв. 1 п., 1ст. б/н., удв. 1 п. = 8 п.

12 к.р.: удв. каждую 2 п. = 12 п.

13 к.р.: связать 12 ст. б/н.

14 к.р.: удв. каждую 3 п. = 16 п.

15-16 к.р.: вязать 16 ст. б/н.

17 к.р.: удв. каждую 4 п. = 20 п.

18-19 к.р.: вязать 20 ст. б/н.

20 к.р.: удв. каждую 5 п. = 24 п.

21-23 к.р.: вязать 24 ст. б/н.

24 к.р.: вязать только за заднюю стенку, при этом провязать каждую 3 и 4 п. вм. = 18 п.

25 к.р.: провязать каждую 2 и 3 п. вм. = 12 п., набить ватой

26 к.р.: провязать по 2 п. вм. = 6 п.

Нос

Набр. пряжей фисташкового цвета 4 в.п., провязать 4 ст. с/н. в 4-ю в.п.

Шляпа

Набр. пряжей черного цвета 20 в.п., замкнуть в кольцо

1-4 к.р.: вязать 20 ст. б/н.

5 к.р.: провязать каждую 4 и 5 п. вм. = 16 п.

6-7 к.р.: вязать 16 ст. б/н.

8 к.р.: провязать каждую 3 и 4 п. вм. = 12 п.

9-10 к.р.: вязать 12 ст. б/н.

11 к.р.: провязать каждую 2 и 3 п. вм. = 8 п.

12-13 к.р.: вязать 8 ст. б/н.

14 к.р.: провязать по 2 п. вм.

Поля шляпы

Пряжей черного цвета вязать далее по нижнему краю шляпы

1 к.р.: вязать только за переднюю стенку, удв. каждую п. = 40 п.

2 к.р.: удв. каждую 4 п. = 50 п.

Руки (2 шт.)

Набр. пряжей фисташкового цвета 2 в.п.

1 к.р.: провязать 4 ст. б/н. во 2-ю в.п.

2 к.р.: повт. 2 раза: 1 ст. б/н., удв. 1 п. = 6 п.

далее вязать пряжей черного цвета

3-7 к.р.: вязать 6 ст. б/н.

Метла

Отрезать 15 нитей длиной 15 см каждая из пряжи светло-коричневого цвета, положить на нижние 2 см проволоки и загнуть эти 2 см проволоки, тем самым закрепив нити посередине. Конец проволоки должен при этом оказаться снова внизу. Сверху обмотать нити пряжей того же цвета.

Сборка

Руки набить ватой и пришить к туловищу. Соединить боковые стороны носа и пришить его к голове. На носу вышить нитью фисташкового цвета бородавку. Прикрепить волосы из пряжи рыжего цвета. Вышить рот и глаза. Шляпу слегка наполнить ватой и пришить к голове, прикрепить к ведьме метлу.

Привидение и тыква

→ на Хэллоуин

РАЗМЕР
Привидение
8,5 см
Тыква плоская
6 см
Тыква круглая
4 см

МАТЕРИАЛ
◆ Крючок № 2,5

**ПРИВИДЕ-
НИЕ**
◆ Пряжа белого
и черного
цветов, остат-
ки

**ПЛОСКАЯ
ТЫКВА**
◆ Пряжа оран-
жевого и чер-
ного цветов,
остатки

**КРУГЛАЯ
ТЫКВА**
◆ Пряжа оран-
жевого и чер-
ного цветов,
остатки
◆ Вата для
наполнения
игрушек

Привидение

Глова и туловище
Набр. пряжей белого цвета
2 в.п.
1 р.: провязать 2 ст. б/н. во
2-ю в.п.
2 р.: удв. каждую п. = 4 п.
3 р.: удв. 1 п., 2 ст. б/н., удв.
1 п. = 6 п.
4-5 р.: вязать 6 ст. б/н.
6 р.: 2 п. вм., 2 ст. б/н., 2 п.
вм. = 4 п.
7 р.: провязать по 2 п. вм. =
2 п.
8 р.: удв. 2 п. = 4 п.
9 р.: удв. 1 п., 2 ст. б/н., удв.
1 п. = 6 п.
10 р.: удв. 1 п., 4 ст. б/н., удв.
1 п. = 8 п.
11 р.: удв. 1 п., 6 ст. б/н., удв.
1 п. = 10 п.
12-14 р.: вязать 10 ст. б/н.
15 р.: 2 п. вм., 6 ст. б/н., 2 п.
вм. = 8 п.
16 р.: 2 п. вм., 4 ст. б/н., 2 п.
вм. = 6 п.
17 р.: 2 п. вм., 3 ст. б/н., удв.
1 п. = 6 п.
18 р.: удв. 1 п., 3 ст. б/н., 2 п.
вм. = 6 п.
19 р.: 2 п. вм., 3 ст. б/н., удв.
1 п. = 6 п.
20 р.: 2 п. вм., 2 ст. б/н., 2 п.
вм. = 4 п.
21 р.: 2 п. вм., 1 ст. б/н., удв.
1 п. = 4 п.
22 р.: удв. 1 п., 1 ст. б/н., 2 п.
вм. = 4 п.
23 р.: провязать по 2 п. вм. =
2 п.
24 р.: 2 п. вм. = 1 п.

Сборка
Вышить глаза и рот.

Плоская тыква

Плод
Набр. пряжей оранжевого
цвета 2 в.п.
1 к.р.: провязать 6 ст. б/н. во
2-ю в.п.
2 к.р.: удв. каждую п. = 12 п.
3 к.р.: удв. каждую 2 п. =
18 п.
4 к.р.: удв. каждую 3 п. =
24 п.
5 к.р.: удв. каждую 4 п. =
30 п.
6 к.р.: удв. каждую 5 п. =
36 п.

Стебель
Набр. пряжей черного цвета
5 в.п., затем связать 4 ст. б/н.

Сборка
Вышить глаза, нос, рот и пришить стебель.

Круглая тыква

Плод
Набр. пряжей оранжевого
цвета 2 в.п.
1 к.р.: провязать 6 ст. б/н. во
2-ю в.п.
2 к.р.: удв. каждую п. = 12 п.
3 к.р.: удв. каждую 2 п. =
18 п.
4 к.р.: удв. каждую 3 п. =
24 п.
5-8 к.р.: вязать 24 ст. б/н.
9 к.р.: провязать каждую 3 и
4 п. вм. = 18 п.
10 к.р.: провязать каждую
2 и 3 п. вм. = 12 п., набить
ватой
11 к.р.: провязать по 2 п. вм.
= 6 п.

Стебель
Набр. пряжей черного цвета
6 в.п., затем связать 5 ст. б/н.

Сборка
Вышить глаза, нос, рот и зиг-
загообразный край. Пришить
стебель.

А так это делается

Прежде чем вы начнете вязать крючком, обратите внимание на следующие рекомендации: практически все модели связаны столбиками без накида. В зависимости от того, вязать ли за переднюю или заднюю стенку, можно получить разные эффекты. При вязании некоторых моделей используются также полустолбики, столбики с двумя накидами и столбики с накидами. Для того чтобы новички в вязании не испытывали трудностей, ниже вы найдете объяснения, которые наглядно помогут понять технику вязания крючком.

Вяжем по кругу

Если вязание пойдет по кругу, то для начала набираются 2 воздушные петли. Приведенное количество столбиков без накида в первом ряду вывязывается из второй воздушной петли. Затем работа идет по круговым рядам, при этом каждый ряд начинается с воздушной петли, а заканчивается полустолбиком без накида. Это облегчает счет рядов или петель при добавлении и убавлении.

Вяжем рядами

Если вязание идет рядами, то каждый ряд начинается с дополнительной воздушной петли для подъема.

Прибавляем петли

При прибавлении петель петли удваиваются, это значит, что в одну и ту же петлю провязываются 2 новые петли.

Убавляем петли

При убавлении петель крючок вводят в петлю нижнего ряда, подхватывают нить, протягивают через петлю и оставляют на крючке непровязанной. Крючок вводят в следующую петлю ряда, подхватывают нить, протягивают через петлю. На крючке 3 петли. Провязывают их вместе.

Смена цвета

При смене нитей в конце или между рядами для последнего столбика без накида сначала протянуть петлю цвета, в котором выполнена работа, а затем выполнить петли в новом цвете. Это касается как смены цветов в спиральных рядах, так и в конце ряда.

Набивание ватой

Голова и туловище во время вязания набиваются ватой. Туловище следует набивать ватой, перед тем как петли убавятся для шеи, иначе отверстие будет слишком маленьким, чтобы наполнить туловище ватой. Голова обычно наполняется за 2—3 ряда до окончания. Если отверстие слишком маленькое, чтобы наполнить ватой руками, можно воспользоваться деревянной палочкой (например, карандашом). Животных следует набивать не очень плотно, иначе вата будет проглядывать сквозь петли.

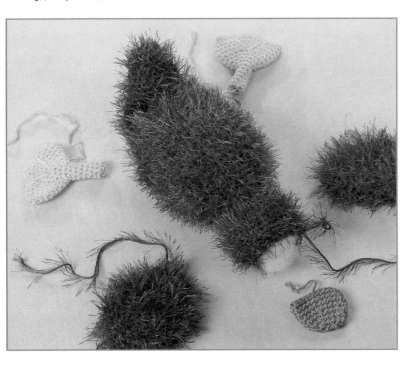

Стежки

Отдельные стежки нарисовать линией или двумя точками. Воткнуть иголку в начало линии, а затем во 2-ю точку или конец линии. Нить закрепить.

Сборка животных

Все связанные части тела желательно сначала скрепить булавками, чтобы соблюсти пропорции. После чего можно смело их сшивать.

УДК 746
ББК 37.248
    Б59

Настоящее издание представляет собой перевод
оригинального издания *100 kleine Häkelfiguren* ,
впервые выпущенного в 2008 году издательством
frechverlag GmbH.

Подписано в печать 17.01.2013 Формат 84х108/16 Усл.
печ. л. 6,5. Тираж 2500 экз. Заказ № 399

Общероссийский классификатор продукции
ОК-005-93, том 2; 953000 — книги и брошюры

Выпущено при техническом содействии
ООО «Издательство АСТ»

Бигель, Андреа
Б59   Вяжем игрушки. 100 лучших   идей/Андреа
        Бигель; пер. с нем. Ю. Ф. Габдуллина. —
        Москва: Астрель, Кладезь, 2013. — 104 с.

ISBN 978-5-271-45759-3
(ООО «Издательство Астрель»)
ISBN 978-3-7724-6573-4 (нем.)

100 kleine Häkelfiguren
© frechverlag 2008 Stuttgart, Germany
© ООО «Издательство Астрель»

Научно-популярное издание
ВЯЖЕМ ИГРУШКИ
100 лучших идей

Ответственный редактор Т. Н. Карпенко
Технический редактор О. Л. Серкина
Корректор И. Н. Мокина
Компьютерная верстка Л. Беликовой

ООО «Издательство Астрель»
129085, г. Москва, пр-д Ольминского, 3а

Отпечатано в ОАО «Первая Образцовая типография»,
филиал «Дом печати – ВЯТКА» в полном соответствии
с качеством предоставленных материалов
610033, г. Киров, ул. Московская, 122